HACIA UNA
Administración
Eficaz

HACIA UNA Administración Eficaz

Guillermo Luna A.

EDITORIAL BETANIA

HACIA UNA ADMINISTRACION EFICAZ
Copyright © 1981, 1985 por Guillermo Luna A.

Publicado por la
Editorial Betania

Todos los derechos reservados

ISBN 0-88113-114-8

BREVES DATOS ACERCA DEL AUTOR:

El profesor Guillermo Luna es originario de Guatemala, Centro América. Se inició en las labores administrativas cristianas como educador en un importante centro de enseñanza media en su país. En ese lugar, tuvo la oportunidad de trabajar en el ejercicio de su profesión como maestro y como director de varios departamentos de educación, el uno por extensión a toda la República de Guatemala y el otro en la educación de adultos. Adicionalmente, tuvo cargos de supervisión relacionados con la labor educativa nacional.

A principios del año 1964, Dios le llamó a servir a tiempo completo en las filas de la *Cruzada Estudiantil y Profesional para Cristo* (Campus Crusade for Christ), siendo el fundador de este dinámico movimiento en Guatemala y en los demás países de Centro América y parte del Caribe.

En los años de 1979 y 1980 dirigió las campañas "Vida para Latinoamérica" (Here's Life—I Found It, Campaigns) responsabilidad que le llevó a viajar extensamente por Centro y Sud-América para coordinar los esfuerzos con todas las denominaciones evangélicas que participaron.

Posteriormente fue el Director de Operaciones para los países Andinos y Cono Sur de esa misma organización cristiana desde una oficina principal ubicada en México. Sus responsabilidades en la obra del Señor y particularmente en el área de la administración cristiana, le han llevado a viajar por toda la América Latina, y Estados Unidos, así como por países de Europa y Asia. Como parte de su ministerio se ha dedicado voluntariamente a la enseñanza de un curso de administración cristiana auspiciado por la Cruzada Estudiantil, el cual ha sido enseñado en 24 países latinoamericanos a más de 2,000 dirigentes, laicos y pastores, enseñanza que fue recibida con beneplácito. Desde 1982 el profesor Luna está trabajando en la *Christian Embassy de Nueva York*, un dinámico ministerio de servicio, con fuerte énfasis en el discipulado cristiano. Esta obra, también originada por la *Cruzada Estudiantil y Profesional para Cristo (Campus Crusade)*, funciona como un recurso espiritual entre los funcionarios de la Organización de Naciones Unidas en Nueva York, (ONU), ofreciendo un variado programa de eventos culturales, visitas a Embajadas, asistencia humanitaria, retiros, materiales audiovisuales y literatura especializada con el propósito de acelerar la cristianización de los líderes mundiales.

Desde su llegada a Nueva York, ha estado fuertemente involucrado en el servicio a las personas de habla española. Recientemente ayudó a formar un iglesia hispana en White Plains, Nueva York y regularmente dicta clases y conferencias ante grupos de diplomáticos y en iglesias.

El profesor Luna es casado y tiene tres hijos.

INDICE

INDICE DE ILUSTRACIONES

INTRODUCCION

" . . .los que administran . . ." 1 Cor. 12:28.

Hoy día, la obra cristiana confronta grandes desafíos. Estamos viviendo en un mundo en revolución. Hemos oído hablar de la revolución contemporánea, como la primera revolución de verdaderos alcances mundiales. En los últimos años la mayor parte del género humano ha adquirido una nueva estructura política. Los viejos moldes, tanto políticos como sociales y económicos están cayendo hechos pedazos. Ideas revolucionarias hierven en la mente de los hombres, pero a pesar de lo difícil y lo crítico de la hora en que vivimos, incluyendo la más absoluta incertidumbre que se haya registrado en la historia, debemos creer a Dios para lograr un adecuado liderazgo espiritual que satisfaga las necesidades de la iglesia y de un mundo que demanda razón de " . . . la esperanza que hay en vosotros"(1 Pedro 3:15). Esta hora de crisis mundial sin precedentes demanda líderes revolucionarios para Cristo, hombres con una estrategia revolucionaria . . . El líder cristiano rechaza aceptar el *statu quo*. Es la persona dedicada a producir un despertamiento espiritual, moral y social, y con esto en mente dedica su vida a Cristo, comparte el amor de Dios con todos los hombres en todas partes y *enseña a otros a hacer lo mismo*. Esta situación del mundo actual caracterizada por desorden, incertidumbre, caos y corrupción, hace urgente que cada uno de los cristianos, especialmente aquellos que tienen sobre sus hombros la tarea de dirigir a otros, tomen en serio el gran mandato, la gran comisión de nuestro Señor Jesucristo expresada en Mateo 28:18–20, lle-

9

vando el mensaje "cambia-vidas" de Jesucristo hasta los lugares más recónditos de la tierra. Asimismo, deberemos multiplicar nuestra acción mediante la formación de muchos líderes de hombres, de discípulos que tal como nosotros compartan con un corazón agradecido, la entrega a Cristo y a su causa con la visión de un mundo que perece.

Llevar el evangelio hasta lo último de la tierra y dar la oportunidad a que los muchos nuevos cristianos se conviertan en discípulos de Cristo y eventualmente en dirigentes cristianos, no es tarea fácil. La única forma posible en que este gran mandato puede ser llevado a cabo es como Jesucristo mismo nos enseñó a hacerlo: ganando, edificando y enviando hombres en obediencia a su mandato. En otras palabras, logrando que las cosas sean hechas *mediante otras personas*, o sea, administrando.

¿Por qué es importante el cumplimiento de la gran comisión como meta en la administración cristiana?

a. En primer lugar porque es un mandato de Jesucristo mismo (Mateo 28:18–20). Si tan sólo tuviéramos esa razón, debería ser más que suficiente para poner en acción a la cristiandad en cuanto a tomar en serio esa orden, multiplicándose, compartiendo su patrimonio espiritual, llevando esa luz a toda criatura.

b. Es la única razón por la cual la iglesia está aún sobre la tierra.

c. En tercer lugar porque el mundo está en crisis. Esta es la hora para la cual los cristianos hemos sido puestos sobre la tierra. Nunca antes ha habido tantas oportunidades para la iglesia cristiana de dar a conocer la dinamita de su mensaje, la vigencia y eficacia de la sangre de Cristo, el perdón de los pecados, la nueva vida en Cristo y la seguridad de la salvación eterna.

Ciertamente, algunos podrán ver esta época como la época de mayores dificultades, pero en el poder del Espíritu Santo y siguiendo las instrucciones del Señor mediante vidas totalmente entregadas a él, estas dificultades son percibidas inmediatamente como oportunidades para ganar multitudes para nuestro Salvador.

d. Es importante el cumplimiento de la gran comisión, porque la iglesia pierde influencia. La secularización y el materialismo han hecho un trabajo demoledor en las filas de la cristiandad. Adicionalmente, la tremenda explosión demográfica ha hecho que la iglesia sea absorbida en una gran masa de gente y vaya perdiendo su acción espiritual y social en forma considerable. La iglesia cristiana ha enfatizado más la fase de proclama y predicación, que la de la enseñanza y la multiplicación de hombres. Multitud de otros elementos y factores batallan constantemente contra la acción de las congregaciones locales, haciendo cada día más difícil su expansión, influencia y crecimiento. Se hace necesaria una estrategia revolucionaria para marchar adelante.

e. La gran comisión ya ha sido cumplida en otras generaciones como la historia nos ilustra. Grandes países como Inglaterra, Estados Unidos y aun comunidades enteras dentro de ciertos países, culturas y subculturas, han sido saturadas con el Evangelio y una gran mayoría de cristianos han tenido la oportunidad de ser discipulados; luego surgieron dirigentes y misioneros que fueron enviados a otros lugares.

Esto mismo puede hacerse hoy. ¡Nunca antes la iglesia había contado con los modernos medios de comunicación masiva, con la tecnología, la electrónica, los sistemas y métodos educativos que facilitan la formación de dirigentes y la multiplicación de discípulos de Cristo.

Hoy día vemos que aun los eventos deportivos son presentados a, literalmente, millones de televidentes en todos los continentes al mismo tiempo. Muchos otros están logrando cumplir su "comisión" y anualmente alcanzan la población del mundo con su mensaje. La iglesia puede rescatar y aprovechar estos recursos mediante la administración.

f. La gran comisión es un proceso educativo.

Sería poco aconsejable suspender el proceso educativo vigente en cada uno de nuestros países, mediante el cual no sólo nosotros hemos recibido el beneficio de la cultura, sino multitud de personas son capacitadas mediante las escuelas y universidades seculares. Asimismo la tarea de la iglesia es cumplir la gran comisión de Jesucristo de ganar, edificar y enviar hombres en *cada* generación.

¿Qué ocurriría si en el día de hoy todas las escuelas y universidades de nuestro país suspendieran sus actividades y cerraran sus puertas? Indudablemente que en muy pocos años las comunidades y los países enteros quedarían reducidos a la ignorancia, en una gran masa de analfabetos, aislados totalmente de los beneficios de la civilización.

El proceso educativo tiene que repetirse en cada generación. Todos los años en todas las latitudes se enseñan, desde el primer grado de primaria, las cosas que se han enseñado años atrás, con la adición de adelantos y nuevos descubrimientos.

Es pues labor de la iglesia y de cada uno de sus miembros asegurar que cada persona en su generación tenga la oportunidad de escuchar quién es Cristo y la oportunidad de responder a su llamado.

Debe también ofrecer la oportunidad factible y legítima para que todo nuevo cristiano pueda ser edificado y discipulado para llegar a convertirse en un agente activo en el cumplimiento de la gran comisión.

La iglesia y las técnicas administrativas modernas

Por alguna razón los cristianos hemos dividido nuestro mundo y tendemos a pensar que todo aquello que se practica a nuestro alrededor con éxito tal como: disciplinas educativas, métodos, avances tecnológicos, progreso, no debe en ninguna manera influir en la iglesia.

Esa separación ha sido en gran manera nociva y se ha reflejado principalmente en la actitud y percepción de los cristianos respecto del mundo que les rodea.

Lo cierto es que la Palabra de Dios en la misma lista de dones espirituales expuesta en 1 Corintios 12 nos advierte que el Señor ha designado a unos apóstoles, a otros profetas, a otros evangelistas, *a otros administradores.* Indudablemente que la primera responsabilidad del cristiano es administrar todo aquello que constituye su herencia espiritual, pero también tiene que ver con ser buen mayordomo de sus recursos, tiempo y habilidades, para el logro de la meta que Dios propone a la iglesia en la gran comisión.

Este libro procura presentarnos un nuevo concepto de la administración cristiana; demostrarnos los beneficios que se derivan al aplicar las técnicas administrativas modernas a la iglesia y a la acción de los cristianos, cosas que se han probado con éxito en muchos países. En segundo lugar, nos ayudará a asegurar el logro de metas mediatas e inmediatas y a cumplir la gran comisión en nuestra comunidad. Mostraremos que el ejercicio de la administración cristiana es algo legítimo en todo hijo de Dios, es totalmente bíblico y hay abundantes ejemplos en el Antiguo y Nuevo Testamentos de grandes hombres en la fe, que fueron esencialmente administradores en toda la extensión de la palabra.

Doquier he estado en las diferentes latitudes de nuestra querida América Latina, he encontrado que el clamor de los cristianos es general; hay carencia de líderes, especialmente para los altos cargos y las grandes responsabilidades. Muchas de las actuaciones en eventos importantes, de grandes empresas cristianas y de muchas iglesias, son dejadas a la casualidad, al accidente; esperando que las cosas "ocurran" sin hacerlas ocurrir.

En un buen número de veces he encontrado que cuando hay algún logro, a todos sorprende. Nunca se había planificado de tal manera. Es pues mi ferviente anhelo y oración al Señor de la mies, que esta pequeña obra nos motive a ahondar más en este tan poco practicado don espiritual. Que las técnicas y herramientas que serán mostradas en estas páginas, sean utilizadas por el Señor Jesucristo en la vida de hombres llenos y controlados por el Espíritu Santo, para ayudar a cumplir la gran comisión en todos y cada uno de los países latinoamericanos y de allí, al mundo entero.

Guillermo Luna
Ciudad de Nueva York
Junio de 1985

Testimonios

El señor Melvin Rivera gerente de Radio Iniciativa, en Juana Díaz, Puerto Rico, me compartía recientemente un conmovedor testimonio sobre la diferencia que ha establecido el haber aplicado las técnicas administrativas en su ministerio radial.

El señor Rivera asistió a un taller de administración cristiana que se realizara en Costa Rica. En este taller de administración aprendió a manejar las herramientas básicas de la administración cristiana y decidió aplicarlas a sus necesidades en la emisora a su cargo. Debo decir que "Radio Iniciativa" es una radiodifusora que aunque cristiana y perteneciente a una importante obra misionera mundial, se sostiene como cualquiera otra empresa radial de índole comercial, vendiendo su programación a patrocinadores locales seleccionados. Con esto en mente, el hermano Rivera diseñó un plan pendiente a abrir una oficina en Ponce, ciudad inmediata al lugar donde se encuentra la radio, reclutando para ello a una secretaria y a un vendedor. Presentó el plan a sus directores inmediatos, quienes le dijeron que estaba bien que diera este paso siempre y cuando los gastos de dicha oficina de promoción y ventas fueran sufragados por el proyecto mismo en los primeros seis meses. Como fruto de una buena planificación y control administrativo, la oficina se abrió con el personal deseado y en los primeros meses había logrado no sólo sufragar sus propios gastos sino que sobrepasó en por lo menos cuatro tantos las ventas esperadas para el semestre. Melvin está convencido ahora más que nunca de la importancia de aplicar al ministerio cristiano y especialmente a empresas como la suya, un nuevo estilo de liderazgo, aprovechando estos modernos procedimientos, que inclusive aumentarán nuestra fe, haciendo que creamos a Dios para el logro de metas más excelentes.

Javier Méndez Ruiz, un destacado hombre de negocios guatemalteco, se convirtió a Cristo hace siete años y medio. El también tuvo la oportunidad de asistir a un curso de administración cristiana en el cual pudo vertir la visión que Dios le estaba dando de hacer una obra evangelística mediante la utilización de los modernos medios de comunicación social, particularmente mediante la televisión.

Como tarea misma en el curso de administración, Javier hizo un plan tentativo para iniciar una serie de mesas redondas en televisión para los países centroamericanos, con el propósito de presentar en ellas a destacadas personalidades del mundo cristiano tocando tópicos de interés nacional como plataforma básica para presentar a Jesucristo a los televidentes. En el semestre posterior a su participación en el curso de administración, Javier puso en práctica lo aprendido y logró llevar a cabo exitosas campañas de televisión en Costa Rica y Honduras que consistieron en catorce mesas redondas en cada país sobre diversos tópicos de interés nacional e invitando a destacadas personalidades cristianas a dichos programas. De especial interés fue su participación en las mesas redondas por televisión en Honduras inmediatamente después del trágico huracán "Fifí" que asoló la parte norte de ese país. Dios usó grandemente a Javier en los programas de televisión para traer aliento y consuelo a los damnificados y también para reunir ayuda material y moral en esa urgente situación.

Actualmente, está listo para echar a andar las mesas redondas evangelísticas en los otros países centroamericanos tal como lo había planificado.

Estos y muchos otros cristianos que están al frente de obras diversas, pueden testificar de la gran importancia que reviste una buena planificación en la realización exitosa de las actividades. Los elementos administrativos se convierten pues en valioso instrumento en manos de hombres y mujeres dirigidos por Dios para ejecutar así un trabajo de excelencia que garantice el logro de los objetivos.

Ismael Morales, destacado líder cristiano guatemalteco, pastor laico de una iglesia nacional y hombre de negocios con experiencia bancaria, nos habla de su descubrimiento en el campo de la administración cristiana.

El señor Morales como pastor laico de su iglesia y encargado de aspectos del crecimiento de la misma, fue confrontado con la necesidad de construir una segunda planta del templo que la iglesia utiliza en una de las zonas más pobladas de la ciudad. Esto incluía la construcción de un segundo piso, adquisición del mobiliario, iluminación, acabados, etc. El señor Morales tomó en esos días un curso sobre administración cristiana, que le motivó a aplicar los principios aprendidos al proyecto que estaba sobre sus hombros. Mediante la comprensión y aplicación de los principios administrativos, pudo elaborar un plan para la construcción de esa parte del templo, así como del involucramiento de los miembros de la iglesia en el plan. El plan proponía como objetivo terminar el proyecto en siete meses.

Como fruto de la fase de planificación, se organizó una estructura consistente en cuatro funciones principales o cuatro grupos que se harían responsables de la construcción.

Como resultado de la adecuada planificación, organización, dirección y control, el proyecto fue terminado un mes antes de lo esperado. También se logró financiamiento para más de lo que se había esperado y la iglesia estuvo en la capacidad de adquirir un órgano y algunos otros implementos adicionales para sus actividades.

El señor Ismael Morales atribuye el éxito de ese proyecto a la dirección de Dios, quien en su soberanía permitió que él tomara esta orientación sobre administración cristiana y que se tradujo en un proyecto terminado antes del tiempo estipulado y con eficiencia; generó sus propios recursos financieros y trajo gloria y honra al nombre de Dios.

Capítulo 1

¿QUE ES LA ADMINISTRACION?

". . . los que administran. . ." **1 Corintios 12:28.**

Alguien ha dicho que una manera de definir un concepto es mostrando lo que no es. Al respecto de la administración podemos indicar que esto también es verdad. Podemos entender mejor en qué consiste mediante la comprensión de lo que no es. Administración no es hacer las veces de un hombre "orquesta", o sea realizar el trabajo de muchas personas. Tampoco es aquella labor heroica que nos conduce hasta el límite de nuestras fuerzas. Tampoco es "firmar papeles" detrás de un escritorio. El verdadero administrador es un "dirige-personas" y no un "maneja-papeles". O bien, podemos decir que administrar consiste en lograr que las cosas sean hechas mediante otras personas. Lo cual significa que cuando usted hace las cosas por sí mismo no está administrando.

En una manera más completa podemos decir que una actividad o empresa administrada profesionalmente, conlleva una acción que tiende a asegurar el logro de metas preestablecidas, mediante la continua y conciente dirección del trabajo humano, de acuerdo con planes de acción específicamente diseñados para el efecto.

Adicionalmente, podemos decir que el administrador cristiano es aquel que:

1. es un perenne estudiante de las técnicas administrativas pasadas y presentes.
2. busca realizar sus funciones de una manera científica y profesional.
3. domina las técnicas y herramientas de la administración.

17

4. está deseoso de "andar en el Espíritu", como su código personal de ética (Gálatas 5:16, 25).
5. acepta recompensas por el éxito con humildad y la reprensión por los fracasos con dignidad.

TIPOS DE ADMINISTRACION

Administración por controles o medios

Es aquella en la cual no interviene directamente la participación de los subordinados en la elaboración de las metas y objetivos, sino más bien se procede a asegurar el logro de las metas mediante controles, ya sea que los participantes estén o no enterados de dichas metas.

Administración por objetivos o fines

Ocurre cuando comunicamos a los participantes sin reserva alguna los objetivos de la empresa o compañía y que han sido preestablecidos provisionalmente por la administración. Cuando permitimos a los subalternos fijar los objetivos personales que ellos quisieran lograr. Cuando suministramos tanto los sistemas apropiados para la fijación del objetivo, como los elementos necesarios para facilitar la fijación del mismo.

En general, es una filosofía de guía o conducción que permite esta interacción. Es más bien una actitud de diálogo o interrelación entre los subalternos y la administración. En una oportunidad le preguntaron a un albañil que colocaba ladrillos en una gran construcción, que qué hacía, a lo que él respondió: "Bueno, aquí me encuentro colocando ladrillos". Luego le preguntaron lo mismo a otro obrero que hacía la misma tarea. Este respondió: "Heme aquí, construyendo una catedral".

Esta es la diferencia entre cualquier administración y la administración con objetivos o fines.

Administración por motivación

Aquí la premisa básica es que sin importar qué tan adecuado sea el terreno en el que usted trabaje como administrador, o qué tan robusta sea la planta que ha sembrado, ésta se secará tarde o temprano si no se cultiva y alimenta adecuadamente. El concepto de la administración es que una vez plantado el procedimiento administrativo no podrá perdurar sin una continua y refrescante motivación. El administrador dirige a sus hombres al logro de las metas mediante una continua motivación, mediante la cual estimula, inspecciona, reconoce y premia en un ciclo repetitivo e ininterrumpido.

En este libro estaremos recalcando la administración por objetivos o fines, en combinación con los elementos más destacados de la administración por motivación.

No es suficiente saber hacer las cosas

Aquel que es experto y fructífero en la productividad individual no es necesariamente eficaz en lograr una alta productividad de otras personas. La administración es una actividad en sí misma y diferente de cualquiera otra actividad. Está fundamentada en ciertos principios que responden a un acercamiento ordenado, basado en habilidades y conocimientos particulares. Es dirigida por cierta ética y controlada por disciplinas determinadas. Aquél que quiera ser un administrador en toda la extensión de la palabra, deberá ser un estudiante dedicado de los principios de la administración, deberá ser experimentado en el arte de dirigir hombres, deberá dominar las técnicas, deberá practicar altas normas éticas y morales y deberá ser un hombre dispuesto a pagar el precio de la autodisciplina.

Un ejemplo: Juan era un excelente operario en la línea de montaje de una importante fábrica de automóviles. Su trabajo consistía en ensamblar una determinada parte en la línea de montaje, cosa que él aprendió a hacer perfectamente en el transcurso de los varios años de ejercicio de su responsabilidad. Su jefe, al ver su destacado desenvolvimiento, tomó la decisión de darle un ascenso y le convirtió en jefe de sección cuya principal responsabilidad era la de dirigir a un grupo de dieciséis trabajadores con trabajos semejantes a los que Juan había desempeñado con éxito.

Al poco tiempo de estar dirigiendo al grupo de trabajadores

en la línea de montaje, Juan se dio cuenta que estaba totalmente desarmado para hacer frente a las responsabilidades que su nuevo puesto le imponía. Ahora tenía que evaluar, motivar; asegurar que las cosas fueran hechas mediante otros hombres. Repentinamente, se dio cuenta que había una gran diferencia entre ensamblar aquella parte del automóvil que él sabía hacer y dirigir a estos dieciséis hombres. Se dio cuenta que necesitaba aprender cómo dirigir bien a estas personas, cómo motivarles, cómo premiar sus éxitos y realizaciones, cómo resolver problemas y cómo aliviar fricciones y tensiones. En otras palabras, se dio cuenta que tenía que aprender a ser un administrador.

Tal vez usted se encuentre en las mismas circunstancias de nuestro amigo Juan. Quizás usted recientemente ha sido promovido de una posición donde hacía su trabajo con plena confianza y desenvolvimiento, a una posición incómoda en la que tiene que lograr que las cosas sean hechas a través de otras personas. Si este es su caso, permítame decirle que: ¡Le tengo buenas noticias!

Capítulo 2

PORQUE LOS CRISTIANOS DEBEN SER BUENOS ADMINISTRADORES

En 2 Timoteo 2:2 se nos dice: "Lo que has oído de mí ante muchos testigos, esto encarga a hombres fieles que sean idóneos para enseñar también a otros". En este pasaje se nos indica claramente el estilo de liderazgo que el Espíritu Santo quiere desarrollar en nosotros. No es aquel de pretender hacerlo todo por nosotros mismos sino más bien buscar a esos hombres idóneos que serán capaces de multiplicar nuestro esfuerzo y capacidades.

Esto es crucialmente importante en la época en que vivimos, pues por la vastedad de la tarea que está frente a nosotros, sería imposible hacer un aporte significativo al extendimiento del evangelio de nuestro Señor Jesucristo, aparte de una verdadera multiplicación espiritual.

Si está al frente de un equipo de hombres y otras personas dependen de usted por liderazgo, entonces su responsabilidad es aun mayor. Ciertamente cada persona bajo sus órdenes tiene una responsabilidad específica, pero, hasta el punto que usted determine dicha responsabilidad. La verdad es que en la forma en que las personas bajo sus órdenes invierten su tiempo, su capacidad y sus oportunidades, dependen de usted como administrador. Debe dirigirles eficazmente. Si así lo hace el potencial será extraodinario.

En la parábola de los talentos, en Mateo 25:14—30 se nos acentúa la importancia de la multiplicación. El punto clave de esta enseñanza es que nosotros debemos invertir sabiamente lo que Dios nos ha dado. ¿Qué es lo que Dios nos ha dado? El nos ha dado un tiempo determinado para vivir y actuar, nos ha dado cierta medida de educación y experiencia, ciertas habilidades naturales y la capacidad de producir recursos materiales y riquezas. En esta parábola se nos advierte que multipliquemos las cosas que él nos ha dado. Aquí se hace la analogía entre el cristiano y el mayordomo, sugiriendo que el cristiano está llamado a ser un buen mayordomo de aquellos bienes que han sido puestos bajo su cuidado.

Los cristianos también debemos aprender a ser buenos administradores. En la Biblia se nos da el ejemplo de hombres que fueron grandemente usados por Dios porque fueron eficaces en lograr que las cosas fueran hechas mediante otras personas.

En la Escritura hay una serie de personajes que trataremos de señalar a su debido momento y lugar. Con esto quiero decir que el verdadero papel de algunos de esos personajes es la de excelentes administradores y ejecutivos en la obra de Dios y no de personajes místicos que muchas veces hemos oído en la escuela dominical.

DANIEL

Daniel comenzó su ministerio como un joven deportista de Judá. De allí se levantó hasta una posición de extraordinaria importancia en los planes de Dios. En Daniel 6:1–5 vemos que él no sólo fue uno de los más grandes gobernantes de su país, sino que formaba parte de un triunvirato del cual él era el más destacado. La Escritura dice: "Pero Daniel mismo era superior a estos sátrapas y gobernadores, porque había en él un espíritu superior; y el rey pensó en ponerlo sobre todo el reino. Entonces los gobernadores y sátrapas buscaban ocasión para acusar a Daniel en lo relacionado al reino; mas no podían hallar ocasión alguna o falta, porque él era fiel, y ningún vicio ni falta fue hallado en él" (Daniel 6:3–4). También se nos dice: "Y este Daniel prosperó durante el reinado de Darío y durante el reinado de Ciro el persa" (Daniel 6:28).

Hoy día, en las estructuras gubernamentales, Daniel hubiera ocupado el cargo de un ministro de Hacienda o del Interior, o bien como asesor técnico del rey o presidente.

JOSE

Todos conocemos el relato de José en el libro del Génesis capítulo 37. José fue vendido por sus hermanos debido a celos y envidia y terminó en la casa de Potifar, un oficial del Faraón egipcio.

Vemos que José tuvo éxito en sus tareas administrativas y fue nombrado supervisor de la casa de Potifar. En esa reponsabilidad José estaba a cargo de administrar todo lo que Potifar poseía. Dios le usó en forma extraordinaria para interpretar los sueños del faraón. Este dio a José su anillo y un collar de oro, lo hizo subir en su segundo carro y le dio mando sobre todo Egipto. José tenía sólo 30 años de edad en ese tiempo. Fue en esa época en que procedió a preparar el más grande granero que el mundo habría de ver por muchos años. Tuvo que construir silos gigantescos, transportar miles de toneladas de grano y determinar cómo iban a ser protegidos de plagas y de elementos que pudieran arruinar esta provisión críticamente importante para el futuro de la nación egipcia.

Quizás la parte más difícil de la tarea administrativa que tuvo que emprender José fue la de lograr que cada agricultor de Egipto entregara el 20% de su cosecha anual. Imaginemos los problemas que tuvo que encarar José cuando tuvo que dirigir esta descomunal tarea, teniendo la desventaja de ser un extranjero que solicitaba un impuesto enorme ante la sola advertencia de un peligro que entonces nadie podía ver como real.

La enseñanza final que nos deja este extraordinario personaje y gran administrador, es que logró realizar sus metas a través de otras personas. Esta, pues era la única forma en que pudo haber logrado semejante tarea. La Escritura nos dice que lo hizo con todo éxito (Génesis 41:49).

ESDRAS

La Biblia nos dice que Esdras era un destacado sacerdote y escriba, erudito en la Ley de Dios, quien ganó gran confianza y respeto de parte del rey Artajerjes de Persia. El relato se encuentra definido muy claramente en Esdras 7.

La situación allí es que el rey Artajerjes encomienda a Esdras una delicadísima tarea mediante un edicto o decreto real. Le confirió autoridad para recaudar todos los fondos necesarios para el viaje a Jerusalén.

De por sí esta tarea implicaba un ejercicio fiscal y administrativo de una magnitud extraordinaria.

Pero aun más sorprendente que la labor encomendada a Esdras de recaudar fondos, es la que aparece en Esdras 7:25. Artajerjes delega a Esdras la autoridad de "poner jueces y gobernadores que gobiernen a todo el pueblo", y le encarga inclusive que a quienes no conozcan la leyes del Dios de los hebreos, que él se las enseñe. Vemos pues que es un extraordinario ejemplo de la forma en que Dios pudo realizar su plan mediante la mayordomía de un hombre que dominaba las técnicas administrativas y era diestro en lograr que las cosas fueran hechas mediante otras personas.

PABLO

Ya en el Nuevo Testamento tenemos el extaordinario ejemplo de Pablo como mayordomo y administrador, logrando realizar su ministerio mediante otras personas.

En 1 Corintios 4:17 y 1 Timoteo 1:3, se percibe nuevamente el estilo de liderazgo de Pablo respecto de entrenar a otros, enviar a otros, multiplicando así su eficacia personal.

Finalmente, podemos decir que este estilo de liderazgo es el que Dios mismo ha ejercido a través de los siglos para la realización de su plan y el cumplimiento de la profecía. Dios mismo envió a Jesucristo, su único Hijo, con la tarea de redimir al género humano, mediante su sacrificio expiatorio en la cruz. A su vez Jesucristo envió al Espíritu Santo para capacitar a la iglesia a cumplir la gran comisión en todo el mundo.

El concepto de la autoridad delegada ha estado en la mente y en el corazón de Dios, y ahora él espera que nosotros adoptemos este mismo estilo, esta misma actuación para lograr que las cosas sean hechas mediante un equipo de hombres logrando así su propósito a través de las edades.

RESUMEN

Los cristianos pues, debemos ser buenos administradores, para poder ser eficaces, así como los grandes hombres de la Biblia lo fueron en el cumplimiento de los planes y propósitos de Dios en sus respectivas generaciones.

Es imperativo que los cristianos de nuestra generación seamos diestros en dirigir a otros, para llevar el mensaje de Cristo Jesús a los lugares más apartados en la tierra, haciendo discípulos y enseñándoles las cosas que el Señor nos ordenó (Mateo 28:18–20).

Recordemos que el estilo de liderazgo que se sugiere en la Palabra de Dios, tanto en el Antiguo como en el Nuevo Testamento, es aquel de lograr que las cosas sean hechas mediante la autoridad delegada, mediante equipos de hombres sirviendo al Señor, más bien que pretender hacerlo todo nosotros mismos aisladamente. Este es el mismo concepto del que Pablo el apóstol nos habla en Colosenses 1 y en Efesios 2:21.

Finalmente, una palabra de advertencia: debemos reconocer que las habilidades y técnicas administrativas usadas por hombres totalmente entregados a Dios, y bajo la dirección del Espíritu Santo, sirven para glorificar a Dios y cumplir su voluntad en el tiempo que nos ha tocado vivir.

Sin embargo, estas técnicas son herramientas y no substitutos de la guía y plenitud del Espíritu Santo en la vida del creyente. Así como un afilado escalpelo sirve para salvar vidas y aliviar el dolor en manos de un hábil cirujano, este instrumento sería dañino en manos de un inexperto, o de personas con intención equivocada.

Capítulo 3

BENEFICIOS DE LA ADMINISTRACION PROFESIONAL APLICADA A LAS ACTIVIDADES CRISTIANAS

Quizás el aspecto más importante y trascendental de este libro sea el demostrarnos las bases bíblicas de la administración profesional. Generalmente, tendemos a pensar que las técnicas modernas, los adelantos científicos y la tecnología poco o nada pueden aportar a la labor de la iglesia y de las organizaciones cristianas, dado que nosotros estamos en un campo espiritual.

La Biblia y la experiencia demuestran que esta apreciación, desafortunadamente, no es exacta ni adecuada.

Dios desea que nosotros seamos buenos administradores y excelentes mayordomos de todo lo que él nos ha dado.

El primer beneficio que podemos señalar es el desarrollar confianza en que el uso de las técnicas administrativas, bajo la dirección del Espíritu Santo, no sólo es la voluntad de Dios, sino que es la única manera en que podemos llegar a cumplir el mandato de Dios en nuestra generación.

Adicionalmente usted aprenderá cómo dirigirse, multiplicando así su eficiencia personal.

Aprenderá cómo planificar para su propia organización, iglesia o empresa en la que se encuentre actualmente.

Las actividades de su plan serán expresadas de manera tal que le sirvan de inicio para organizarse. Aprenderá a elaborar organigramas y descripciones de trabajo. Comprenderá cómo organizarse, lo cual consiste en colocar hombres y mujeres en el plan, en un proceso dinámico que involucra interacción con otras personas.

Principalmente, aprenderá a delegar tareas y responsabilidades, como un procedimiento científico y no como una mera distribución desordenada de trabajo a otras personas. Muchas veces ésto puede resultar en más pérdida de tiempo cuando tenga que rehacer un trabajo mal hecho por otros.

El corazón del proceso administrativo es cómo dirigir personas. Usted obtendrá un beneficio extraordinario al aprender los principios sobre cómo motivarlas adecuadamente. Aprenderá también la importancia que revisten las características personales del líder en el proceso de dirección.

Finalmente, se beneficiará al aprender cómo controlar. En este nivel entenderá que aun el mejor plan con la mejor gente y con un director ejemplar y activo, puede fallar en alcanzar sus metas y objetivos si no ejercita medidas de control y corrección. Tendrá la oportunidad de familiarizarse con las "normas de actuación" o "actuaciones normales", que son la medida de rendimiento que se espera de cada una de las personas que trabajan bajo su mando.

Aprenderá a evaluar progresivamente el avance hacia los objetivos y metas de acuerdo con el plan original, a corregir el curso de acción y a resolver los problemas que surjan al paso, que eventualmente podrían desviarle y hacerle fallar sus metas.

Habrá un beneficio adicional que es el aprender a administrarse uno mismo. No es suficiente aprender a dirigir a otros. Alguien ya ha dicho que la más grande conquista es la conquista de uno mismo. En esta área se acentuará cómo puede ser un mejor administrador de su tiempo y de sus recursos personales.

Aprenderá a comprender mejor las ventajas de una agenda personal de actividades diarias y semanales, así como la importancia del calendario anual. Obtendrá beneficio al motivarse usted mismo a apegarse a su agenda de día en día.

Habrá un beneficio especial al estudiar las ilustraciones, formatos y hojas de trabajo, que le darán un tono eminentemente práctico a esta obra.

El más grande adelanto será el tener la oportunidad de aplicar lo aprendido, capítulo por capítulo, a su situación y necesidades administrativas en particular, desde el primer día que empiece a estudiar estas páginas.

Es posible ser un buen administrador

Le tengo buenas noticias. Es posible ser un buen administrador.

Esencialmente todo lo que necesita es la actitud correcta, el desear serlo. Estoy seguro que usted al igual que yo, y a la vez al igual que miles de cristianos alrededor del mundo, quiere ser un cristiano consagrado, un "buen siervo fiel" que por su excelente rendimiento, "entre al gozo del Señor". Fundamentalmente sólo necesita una actitud de aprender y de poner en práctica progresiva los sencillos consejos y los principios que mediante esta obra le estaré compartiendo. Puedo asegurarle, sin temor a equivocarme que usted mismo podrá apreciar los resultados palpables aun en la primera semana después de haber leído los primeros capítulos.

Debo advertirle que habrá que pagar un precio. El precio de la dedicación y la disciplina. El precio de estar dispuesto a cambiar costumbres, hábitos personales y aun tradiciones que estén en contradicción con los principios aquí contenidos. Pero el premio será mil veces más deleitable que esos pequeños sacrificios. No hay nada como la experiencia de una tarea cumplida; la satisfacción de haber alcanzado las metas de la semana, del mes, del año y de la vida. De sentirse realizado como hombre y como siervo de Jesucristo.

Principalmente usted tendrá la enorme satisfacción de formar a otros hombres y mujeres como discípulos de Cristo y cumplidores de la misión que Dios ha encargado en sus manos. Estos podrán ser sus propios hijos, su esposa o su esposo y los hombres más allegados a usted. Bien vale la pena pues sacudirnos la indiferencia, el letargo, y disponernos en una nueva actitud para ser la clase de mayordomos que Dios ha querido siempre que seamos.

En este período cambiante y caótico de la historia, los cristianos sinceros y sabios no podemos atrevernos a sentirnos satisfechos con el *statu quo*, por las cosas comunes de cada día. Nuestra influencia personal y colectiva puede establecer la diferencia entre el bien y el mal hoy mismo. Recuerde que cuando la buena gente no hace nada, la maldad prevalece. Si está disponible a lo que Dios espera de usted, especialmente en el área de su propia administración y de otras personas bajo su responsabilidad, no importa quien sea usted o donde se encuentre y cuáles sean sus talentos o habilidades personales, esté seguro que Dios puede y quiere usarle para ayudar a cambiar el mundo y para cumplir la gran comisión de Jesucristo en nuestra misma generación.

Capítulo 4

CONOZCA EL PROCESO ADMINISTRATIVO

Aunque los varios autores de administración de empresas están de acuerdo en las partes fundamentales del proceso administrativo, muchos de ellos exponen dicho proceso como subdividido o constituido de varios factores esenciales. Así, algunos encuentran que son seis las partes constitutivas del proceso administrativo, otros sugieren ocho o diez. Sin embargo, ya que nuestro propósito es iniciarnos en las disciplinas administrativas a manera de conocer los principios de operación, sugeriremos en nuestro estudio los cuatro pilares fundamentales que sostienen la dinámica administrativa.

Ya dijimos al principio que hay una diferencia entre administrar a otros y hacer las cosas por uno mismo. En esta sección estaremos estudiando cómo podemos ser mejores administradores de las otras personas. Es este proceso de administrar a otras personas el que está constituido por lo menos por cuatro acciones primordiales o elementos, los cuales son:

1. Planificar, o sea predeterminar el curso de acción.
2. Organizar, lo cual consiste en colocar hombres y mujeres dentro de una estructura para el logro de los objetivos o fines.
3. Dirigir, hacer que las personas tomen una acción efectiva.
4. Supervisar (controlar), asegurar que las diversas actividades se mantengan apegadas al plan, para el logro de los objetivos.

Estos cuatro elementos se encuentran mencionados en una secuencia ordenada y conceptual. Cuando se le encarga una tarea, en primer lugar planifica, en segundo lugar organiza a su gente para realizar el plan. Luego deberá dirigir a esas personas y motivarles para la realización del plan y logro de los objetivos. Finalmente ejercita el control administrativo para asegurar que la actuación se mantenga dentro del plan.

Un buen administrador es aquel que combina y ejecuta cada una de estas cuatro fases simultánea y constantemente. Aunque obviamente, la fase de planificación se debe desarrollar primero.

A manera de destacar la importancia de cada uno de estos puntos, pensemos en lo lógico que es esta secuencia y la importancia que revisten estos elementos.

¿Para qué planificar?

Si usted no sabe qué es lo que quiere hacer, ni hacia dónde se dirige, es verdaderamente imposible el poder organizar la gente a su alrededor e indicarles la dirección correcta. Imagínese usted mismo al frente de un grupo de personas con las cuales tiene que trabajar diciendo: "¡yo no sé qué es lo que queremos lograr, ni tampoco hacia dónde debemos ir, pero trabajemos duro!"

¿Para qué organizarse?

¿Qué ocurre cuando una persona dispara un tiro de rifle a un grupo de pájaros? Quizás atine a algunos, pero la mayoría se dispersará en todas direcciones.

Si usted muestra un plan extenso y ambicioso a un grupo de personas y no asegura que cada persona comprende la parte que a ella le corresponde realizar, producirá un efecto inconveniente, haciendo que las personas se ahuyenten del plan pensando que es una tarea demasiado dificultosa. Puede ocurrir también que cada una de las personas comprendan el plan a su manera, siendo su imagen mental de los objetivos, confusa. Esto hará que vayan en diferentes direcciones y por su propia cuenta en forma desordenada. El organizarse adecuadamente asegurará que el plan sea realizado hasta en sus últimos detalles y que

31

cada persona comprenda exactamente qué se espera de ella y cuál es su parte en el plan.

¿Para qué dirigir?

El más excelente plan con el mejor organigrama, puede resultar insuficiente para el logro de los objetivos. Así como un vehículo espacial puede permanecer estático en su plataforma de lanzamiento aun después de haberse realizado los mejores planes y organizado a los hombres que participan. La dirección asegura la acción necesaria para un movimiento acertado. Recuerde que como administrador usted estará relacionándose con personas que resistirán los cambios y las variaciones, dado que son por naturaleza esclavas del hábito y la rutina; si quiere que alguien realice algo nuevo, que supere alguna marca, deberá ayudarle a vencer esa resistencia. Esto es lo que significa "dirección".

¿Para qué controlar?

Recordemos que un buen plan, con una buena organización y aun con un director eficaz, puede fallar en la tentativa de alcanzar sus objetivos y fines, si no mantiene su mira en lo que trata de realizar. En los varios deportes podemos ver la importancia que reviste el mantener los ojos en la meta. Los deportistas y atletas son instruidos cuidadosamente a mantener su vista en la meta para asegurar el logro del objetivo. Asimismo, si usted como administrador no tiene la certeza de cuánto le falta para finalizar un plan, y para lograr determinados objetivos, no podrá saber cuándo ni cómo hacer correcciones.

Finalmente, descubrirá en las páginas próximas que la acción del administrador es compleja. Algunos le han llamado un arte; otros creen que es una ciencia. Personalmente, pienso que es ambas cosas. Hay momentos en que el administrador hace uso de las diferentes herramientas técnicas y científicas para asegurar el logro de los objetivos. Otras veces motiva, anima, estimula, corrige a sus hombres como un verdadero artista.

Los varios pasos sugeridos anteriormente interactúan unos

con otros y se repiten en el proceso administrativo. Por ejemplo, usted no dirige a una persona de una vez y para siempre o en una sola y única oportunidad en la vida, sino que provee un liderazgo continuo a cada momento, si es necesario. Por lo tanto no se sorprenda si en una semana dada todavía se encuentra afinando ciertos elementos del plan y a la vez se encuentra trabajando con una persona con relación al organigrama o la estructura, mientras que motiva a otros más y supervisa las etapas iniciales del progreso del plan. Las siguientes secciones y capítulos, le ayudarán a clarificar el proceso administrativo.

Capítulo 5

PLANIFICANDO

"Porque ¿quién de vosotros, queriendo edificar una torre, no se sienta primero y calcula los gastos, a ver si tiene lo que necesita para acabarla? No sea que después que haya puesto el cimiento, y no pueda acabarla, todos los que lo vean comiencen a hacer burla de él, diciendo: Este hombre comenzó a edificar, y no pudo acabar" (Lucas 14:28–30).

Al doctor Albert Schweitzer le preguntaron en una oportunidad qué era lo que él consideraba como la mayor falla en nuestro mundo actual. Rápidamente respondió: "La gente simplemente no piensa". El más grande descubrimiento de todos los tiempos es que el ser humano puede modificar el curso de su vida, cambiando sus actitudes mentales. Blas Pascal, famoso filósofo francés que vivió de 1623 a 1662 dijo: "La grandeza del género humano reside en el poder de su pensamiento".

James Allan, dijo en una oportunidad: "Así como piensa, viaja, pues usted se encuentra hoy donde sus pensamientos le han traído y mañana se encontrará exactamente dónde sus pensamientos le habrán de llevar. Cualquiera que sea la atmósfera que le rodea hoy, usted caerá, permanecerá de pie, o se levantará junto con sus pensamientos, con su sabiduría y sus ideales. Se hará tan pequeño como lo desee y tan grande como su aspiración más dominante".

La naturaleza del proceso administrativo requiere que el primer paso sea el de reflexión, el ejercicio intelectual. Pensar. Si administrar consiste en lograr que las cosas sean hechas mediante otros, entonces el líder o el administrador debe saber ciertamente qué es lo que quiere que las demás personas hagan. Esto exige una ejercitación mental, una capacidad intelectual de desarrollar *imágenes mentales*, claras, precisas y exactas de lo que se desea.

Una de las más grandes tragedias de nuestras organizaciones y empresas, de cualquier naturaleza que sean, es que no dedican suficiente tiempo a la reflexión y al pensamiento. La segunda tragedia es que no se habla lo suficiente. El administrador taciturno y silencioso ya no es necesario en estos días.

El administrador deberá dedicar largas horas y aun días consigo mismo, pensando acerca de las acciones que él y sus asociados deberán desarrollar. Deberá leer todo lo que esté disponible sobre el tema. Deberá estudiar profundamente, deberá pensar a la máxima capacidad de su cerebro en forma ininterrumpida. Y a su debido tiempo estará preparado para señalar los mejores cursos de acción.

¿Qué es lo que queremos hacer? ¿Qué objetivos o fines deberán ser alcanzados? Estos son aspectos que revisten capital importancia. La labor del administrador es reflexionar y hacer claras en su propia mente esas imágenes mentales y luego dialogar profusamente con sus asociados hasta estar seguro de que sus imágenes mentales han sido transmitidas con precisión y claridad.

Este proceso de reflexión, diálogo e interacción deberá preceder a toda planificación.

Pero, ¿qué es planificación esencialmente?

Podríamos decir que planificar es el proceso de predeterminar un curso de acción, dentro de un tiempo específico.

¿Sería usted capaz de identificar el factor común de las siguientes actividades? Por ejemplo, un viaje al centro de la ciudad para hacer compras. Los estudios en una carrera universitaria. El viaje de vacaciones de fin de año. La construcción de un edificio.

¿Qué puede tener en común mi viaje de vacaciones con ir de compras al centro de la ciudad? O, ¿qué relación puede tener la construcción de un edificio con mi carrera universitaria? Lo único que puede haber en común es que todas estas actividades necesitan planificación. En todos y cada uno de los esfuerzos citados se hace necesario que usted se siente y piense qué es lo que quiere lograr y qué necesita hacer previamente.

Es este pensar, esta reflexión con anticipación, esta creación de imágenes mentales, lo que definimos sencillamente como planificación.

Recordemos que las acciones con propósito y objetivo son más satisfactorias que el activismo inútil y desorientado. Si así lo queremos, siempre hay maneras de hacer que el futuro ocurra más bien que esperar a que ocurra. Mediante la planificación, hay maneras de lograr que las cosas ocurran en vez de esperar que ocurran. Vivir creativamente parece mucho más benéfico para nosotros y para nuestros semejantes que sólo esperar acontecimientos.

Mediante la planificación, usted vive de manera tal que su presente está determinado por el futuro y no por el pasado.

Especialmente en el caso de los cristianos, ciertamente aprendemos del pasado, pero vivimos el presente a la luz de la esperanza que hay en nosotros. Esta meta futura determina nuestro estilo de vida.

Es perfectamente posible que una persona moviéndose hacia el logro de objetivos preestablecidos evite aquella actitud de vivir simplemente "pasando la vida". Y ya que al moverse hacia el logro de objetivos no lo podrá hacer por sí misma, deberá por lo tanto ejercer influencia en otras personas. Esto le diferencia y separa de las demás personas y le constituye en líder.

En otras palabras, queremos decir que el administrador se define por sí mismo en el proceso de la planificación. El que genera y ordena la planificación es quien está mejor calificado para dirigir.

¿Por qué los cristianos debemos planificar?

1. En primer lugar, porque Dios espera que cada uno de nosotros vivamos vidas ordenadas y con propósito: "Pues Dios no es Dios de confusión, sino de paz" (1 Corintios 14:33). "Sed, pues, imitadores de Dios, como hijos amados" (Efesios 5:1).

". . . yo he venido para que tengan vida, y para que la tengan en abundancia" (Juan 10:10).

Si la naturaleza misma de Dios nos habla de orden, diseño, y propósito, las actividades de los cristianos deberán caracterizarse asimismo por orden, diseño y propósito.

Creo que todos hemos tenido la triste experiencia de ir de compras al centro de la ciudad y al momento de regresar a casa nos damos cuenta que olvidamos hacer algo sumamente importante. Esto también puede ocurrirle en su trabajo esta semana. Puede ocurrirle en sus responsabilidades este año. Sin un plan específico, usted puede pasar por alto aquello que es crucialmente importante. Quizás llegue a darse cuenta demasiado tarde de su error. Bien puede iniciar una actividad determinada con gran entusiasmo y esfuerzo, sólo para darse cuenta poco después que debió haber dedicado mucho más tiempo a la preparación de dicha actividad. Más aun, los cristianos somos amonestados a hacerlo todo "decentemente y con orden" (1 Corintios 14:40).

De manera que la planificación contribuye a establecer diseño, orden y propósito en todo lo que hacemos para la gloria de Dios.

2. En segundo lugar, los cristianos debemos ser buenos planificadores, porque Jesucristo mismo nos enseñó a planificar con anticipación.

Nuestro Señor usó dos ilustraciones para manifestarnos la importancia de la planificación.

"Porque ¿quién de vosotros, queriendo edificar una torre, no se sienta primero y calcula los gastos, a ver si tiene lo que necesita para acabarla?" (Lucas 14:28–32). En este pasaje también se nos habla de un rey que queriendo hacer guerra contra otro rey, se sienta primero a calcular sus fuerzas y si encuentra que no le puede hacer frente, le envía una embajada de paz.

Hay muchos otros pasajes en que el Señor Jesucristo nos indica la importancia de este proceso.

3. Los cristianos debemos planificar porque estamos moviéndonos hacia el logro de objetivos, bajo un mandato definitivo de nuestro Señor Jesucristo y no podemos darnos el lujo de estar resolviendo los problemas que salen al paso, lo que podría semejarse a la tarea de los bomberos. Los cristianos no estamos llamados a ser "administradores bomberos", que se pasan la vida resolviendo emergencias, más bien que cumpliendo la orden principal que es la razón de nuestra presencia en esta tierra.

¿Alguna vez se ha sorprendido usted mismo diciendo "no logré hacer nada el día de hoy"? Es seguro que usted consumió dicho día haciendo muchísimas cosas, pero lo que trata de decir con esta declaración es que no logró realizar aquello que debería haber hecho, según sus prioridades. Quizás consumió todo el día resolviendo asuntos "urgentes" y "emergencias". Una adecuada planificación le asegurará la manera de evitar pasarse la vida extinguiendo fuego (emergencias) y siendo distraído de sus objetivos principales.

Pablo nos dice en 1 Corintios 9:24–26: "¿No sabéis que los que corren en el estadio, todos a la verdad corren, pero uno solo se lleva el premio? Corred de tal manera que lo obtengáis. Todo aquel que lucha, de todo se abstiene; ellos, a la verdad, para recibir una corona corruptible, pero nosotros, una incorruptible. Así que, yo de esta manera corro, no como a la ventura; de esta manera peleo, no como quien golpea el aire".

4. Los cristianos debemos planificar, porque Dios nos ha dado una orden; un mandato claro de lo que debemos hacer individual y colectivamente mientras estemos en esta tierra.

Nos ha ordenado que vayamos y prediquemos el evangelio a toda criatura, enseñándoles todas las cosas que él nos enseñó y estableciendo discípulos en todas las naciones (Mateo 28:18–20).

Unicamente, mediante una cuidadosa planificación, es que su vida puede ser fructífera, provechosa y trascendental en el cumplimiento de este mandato. Tenemos un claro ejemplo en la vida del apóstol Pablo. El Señor Jesucristo le ordenó una misión específica la cual encontramos definida en Hechos 26:16–18. Después de haber recibido estas instrucciones o llamamiento Pablo siguió una norma o patrón al empezar a trabajar en una determinada ciudad. Cuando llegaba a un área o localidad a predicar el evangelio, realizaba milagros, conforme el Espíritu Santo le dirigía y capacitaba. Muchas veces comenzaba sus predicaciones en la sinagoga donde había personas que creían y conocían las Escrituras existentes en aquel entonces, o sea, el Antiguo Testamento (Hechos 18:9), y de allí Pablo procedía a, predicar al resto de la comunidad. Pablo trabajaba en forma individual, de persona a persona, compartía no sólo el mensaje del Evangelio sino su misma experiencia con Cristo. También sabemos que Pablo establecía grupos de liderazgo, para que pudieran dirigir y establecer la obra que él había comenzado cuando se hubiera marchado. Específicamente nos menciona el nombre de obispos y diáconos en 1 Timoteo 3. A menudo también dejaba a una persona encargada de continuar el resto de su plan después de que él se retiraba de aquella ciudad. Esto lo vemos en Tito 1:5. Posteriormente continuaba edificando aquel trabajo a través de correspondencia (controles administrativos). La mayoría de sus cartas o epístolas tenían el propósito de estimular el crecimiento y propiciar la madurez en las iglesias que él había establecido, por ejemplo la iglesia de Efeso y de Filipos.

Y así, podemos seguir la trayectoria de este gran hombre de Dios en el Nuevo Testamento como un extraordinario y excelente administrador, que logró que las cosas fueran hechas mediante otras personas y alcanzó los objetivos. ¿Cuáles fueron los resultados? Que literalmente el evangelio fuese llevado a todo el mundo conocido en aquél entonces. Pablo logró cumplir el mandato que Cristo le diera aun en el más mínimo de sus detalles. Saturó con el mensaje de las buenas nuevas de salvación en Cristo Jesús todo el mundo conocido.

Igualmente, usted como cristiano hoy, como dirigente, como responsable de la vida y actuación de otras personas, sólo podrá asegurar el cumplimiento del mandato del Señor Jesucristo en su vida y el logro de los objetivos de la entidad, congregación, iglesia o grupo en que sirve, mediante una cuidadosa planificación.

Encontramos en la Biblia pasajes que nos hablan de la importancia de la planificación en la vida de los hijos de Dios. Algunos de ellos son los siguientes:

Nehemías del 1–6; Proverbios 14:8; 24:3–4; 29:18.

Vemos ésto también en la vida de grandes hombres de Dios como Hudson Taylor, John Wesley y D. L. Moody. Y actualmente, en la preparación de grandes eventos y campañas de evangelización y discipulado a nivel internacional, como las que hemos visto con Luis Palau y otros grandes dirigentes. En los preparativos, planificación y realización de grandes esfuerzos internacionales en América y Asia denominados Explo 72 y Explo 74, auspiciados por la Cruzada Estudiantil y Profesional para Cristo.

En su propia vida y ministerio podrá reflexionar sobre aquellas actividades y proyectos en los cuales ha habido éxito extraordinario, logro de objetivos y glorificación de Dios de manera excelente. Al pensar en sus actividades exitosas encontrará que una buena parte del éxito se debió a una adecuada planificación.

COMO PLANIFICAR

Ya dijimos que el elemento esencial en la planificación es la reflexión y pensamiento del administrador para obtener imágenes mentales claras que definan los objetivos y metas que determinen el curso de acción a seguir.

Sin embargo, debemos dejar claro el hecho que en el caso de los administradores cristianos, su tarea de reflexión y pensamiento, deberá estar literalmente sumergida en una atmósfera de dependencia del Señor, y en estrecha comunión con él. Necesitan la seguridad de la guía del Espíritu Santo y la certeza de que se está viviendo y actuando en el centro de la voluntad de Dios. Todo esto sería imposible sin la oración.

Podemos decir pues, que el administrador cristiano planifica siguiendo los siguientes pasos:

1. *Ora* buscando la *sabiduría* de Dios.
2. Fija sus *objetivos* y metas.
3. Establece el *procedimiento* lógico mediante el cual se han de lograr los objetivos.
4. Vierte el producto de los pasos anteriores en un esquema de tiempo o *calendario*.
5. Elabora un *presupuesto*.

ORA, BUSCANDO LA SABIDURIA DE DIOS

Respecto del tipo de oración que se hace necesaria para la elaboración de un plan, podemos decir que es aquella oración de estrecha comunión con Dios, que permite recibir inspiración, así como la confirmación del llamado para una vida y la clarificación de objetivos y metas.

De ninguna manera es ésta la oración apresurada que tradicionalmente realizamos a la hora de las comidas o en los servicios religiosos. Conozco el caso de un gran hombre de Dios en el Asia, que en un determinado período de su vida en el que necesitaba la especial dirección de Dios y establecerse nuevas metas y objetivos, se apartó por un mes a una montaña; solo con algunos alimentos, su Biblia y una libreta de notas. Fue durante este período de oración intensa y prolongada que Dios le dio una visión específica y le confirmó el llamado de entregar su vida a la evangelización total de su país.

Actualmente Dios le ha usado en una forma extraordinaria y es un verdadero patriarca espiritual en su país, reconocido así por cristianos y no cristianos.

Esta etapa de oración intensa, presupone una adecuada actitud del corazón y un andar estrecho con el Señor bajo la guía del Espíritu Santo. En esta etapa usted se asegura de apropiar la sabiduría de Dios para la realización del plan. Si su plan no es lo que Dios quiere que haga, estará perdiendo su tiempo y el tiempo de aquellos que estarán trabajando con usted. En algunas oportunidades, Dios podrá dirigirle a realizaciones verdaderamente inusitadas y poco convencionales. Imagínese el pensamiento de Josué cuando Jehová le propuso el plan para tomar la ciudad de Jericó (Josué 6:2–5). Aun en el mundo secular entre los administradores no cristianos, podemos percibir la importancia que se da a esta etapa inspiracional. Algunas empresas acostumbran enviar a sus ejecutivos y administradores a períodos de descanso, simplemente para que puedan pensar; o bien les envían a tomar ideas mediante viajes de observación de empresas exitosas de otras partes del mundo.

Lo que más se acostumbra es que envíen a sus administradores a simposios, talleres y seminarios dirigidos por administradores exitosos que necesariamente crearán imágenes dinámicas en sus mentes. Otras veces se invita a un administrador determinado a pasar toda una semana de vacaciones con el gerente general de la empresa. Este diálogo y comunión estrecha permitirá un intercambio de ideas y tendrá un alto poder inspiracional en el administrador en desarrollo.

En nuestro caso tenemos una ventaja sobre las actividades seculares. Nuestro Padre celestial, el Creador del universo, Planificador de nuestra redención en Cristo Jesús , está ansioso por darnos sus imágenes mentales, su pasión por un mundo que perece, su urgencia por la tarea que debe hacerse, su provisión y poder para realizar aquello que le glorifique.

En resumen, mi consejo es que antes de que se siente a elaborar su plan, sea para el año, para una década o aun para toda una vida, dedique un período no menor de una semana completa a estar a solas y en comunión con Dios, estudiando y meditando su Palabra en pasajes de particular importancia en relación a la tarea que siente que Dios le está llamando a hacer.

He aquí algunos pasajes bíblicos por donde empezar: 1 Pedro 1:20; 1 Corintios 2:15, 16; Santiago 1:5; Proverbios 16:3; Lucas 14:28. Estos pasajes y otros más podrán ser de ayuda al meditar en oración, previo a la elaboración del plan.

Debo decir que en muchas oportunidades Dios ha puesto en nuestro corazón un llamado mediante la convicción respecto de la realización de una tarea específica. Generalmente, el período de oración complementa la convicción inicial que Dios ha puesto en nuestro corazón y es mediante este precioso diálogo con Dios que esos trazos al principio poco definidos y confusos, van tomando forma y significado hasta culminar con la certeza de lo que Dios quiere que hagamos. (Véase ilustración # 1, página 43.)

FIJA OBJETIVOS Y METAS

En esta etapa usted determina qué es lo que espera que sea logrado. Establezca un blanco o meta hacia el cual su gente deberá dirigir todo esfuerzo. Este paso realmente precede a todos los demás, pues nunca podrá saber cuántos recursos necesita para el proyecto o cuándo deberán ser realizadas ciertas y determinadas actividades, sino hasta que se haya establecido claramente lo que se quiere lograr. Es impresionante y lamentable ver el número de personas para quienes el planear no es otra cosa que elaborar un presupuesto año tras año. Como ve-

ILUSTRACION No. 1

HOJA DE ORACION PARA PLANIFICACION

Promesa bíblica: Santiago 1:5

- TIEMPO DISPUESTO PARA ORAR, MEDITAR Y ESTUDIAR LA PALABRA DE DIOS EN ESTA OPORTUNIDAD _____ DIAS, _____ HORAS.

Convicciones e inquietudes que ahora tengo, respecto del plan que quiero que Dios confirme en mi mente y corazón.	Pasajes bíblicos y versículos que encuentro adecuados para pensar en ellos a la luz de esta necesidad.	¿A quiénes, a cuántos y en dónde beneficiará este plan?	¿Qué relación encuentro entre mi plan tentativo y el mandato de Dios expresado en Mateo 28:18-20?	Lema y versículo clave para mi plan.	Convicciones que ahora tengo respecto del plan, después de haber meditado y orado.

remos en las páginas posteriores, el presupuesto es realmente la última parte del plan.

El fijar objetivos y metas le ayudará a tener un criterio más claro respecto de las actividades que se encuentra realizando en el presente y a establecer comparaciones y evaluaciones. Al especificar claramente sus objetivos, estará estimulando la creatividad de su gente para producir ideas que aceleren el logro de los mismos.

Pero antes de ir más adelante, definamos un poco mejor en qué consiste la fijación de objetivos y qué son los objetivos en sí.

C. L. Hughes dice respecto de esto: "Un objetivo es un fin, un resultado, no sólo una tarea o una función a desempeñar. Es un emplazamiento en el espacio y en el tiempo que describe la situación que deseamos lograr. Es una norma de realización, un criterio de éxito, algo tangible, mensurable y valioso hacia el cual estamos motivados. Es concreto y explícito, definitivo, conveniente y predeterminado. Guía nuestros actos y nos ayuda a hacer planes como individuos y como administradores. Puede ser a largo o corto plazo; los objetivos a largo plazo ayudan a esclarecer nuestros objetivos a corto plazo. Los objetivos de mayor importancia determinan objetivos secundarios. El presente lo determina el futuro, no el pasado".

Hoy día existe una gran preocupación en relación a la necesidad de objetivos para la vida, para las naciones, para las ciudades, para las entidades culturales y educativas, para los negocios y especialmente para los individuos. A pesar de ello vemos a la mayoría de las personas desplegando una enorme actividad, un activismo, pero poco nos preocupa realmente saber a dónde nos conduce ese activismo. Debemos recordar muy claramente que ningún trabajo tiene sentido en una organización, empresa o congregación, a menos que nos conduzca hacia un objetivo importante que contribuya a realizar la meta de la organización, y ninguna organización estará cumpliendo su cometido a menos que ayude a alcanzar los objetivos personales de sus miembros. Así pues el trabajo eficaz depende de la claridad y validez de los objetivos y del procedimiento que se siga para fijarlos en el papel y en la mente de los hombres.

En el caso de los cristianos, los objetivos que Dios nos propone para nuestra vida individual y los que propone a la iglesia como entidad y organización, están en perfecta armonía, ya que la suma de los cristianos constituye la Iglesia, de la cual Cristo es la cabeza.

No deberá haber conflicto alguno entre los objetivos individuales y los objetivos de la Iglesia; ambos pueden ser realizados cabal y felizmente bajo la guía del Espírtu Santo. (Véase ilustración # 2, página 48.)

EL OBJETIVO DE LLEGAR A SER

Cuando se prepare a fijar los objetivos de su plan, tome siempre en consideración que aun más importante que los objetivos y metas que "hay que hacer", debemos considerar lo que la organización y sus individuos deben llegar a ser.

Cada cristiano debe aspirar a ser un hombre o una mujer de Dios con todo lo que esto significa a la luz de los requerimientos de la Palabra de Dios. Asimismo las organizaciones cristianas y las iglesias como congregaciones locales deberán aspirar a ser lo que Dios quiere que lleguen a ser. Respecto de esto las páginas del Nuevo Testamento nos presentan el modelo de lo que las organizaciones cristianas deban llegar a ser. Organizaciones dedicadas al cumplimiento del mandato de Dios de ganar, discipular y enviar hombres a los cuatro puntos cardinales, con el mensaje de redención en Cristo Jesús.

Nunca podremos acentuar demasiado la importancia de las metas y objetivos. Se ha demostrado aun en el mundo de los negocios seculares que hay muy pocos gerentes y presidentes de compañías, que puedan decir cuál es el propósito principal de su compañía. Muchos de ellos pueden hacer declaraciones relativas a los productos que elaboran o a las utilidades del año anterior, pero realmente han perdido de vista los verdaderos objetivos o razones de ser. Así como en el mundo secular las utilidades económicas de una compañía no constituyen un fin o un objetivo en sí ni para la compañía ni para los que están trabajando en ella, incluyendo el gerente o presidente, las diversas actividades de las organizaciones cristianas tales como predicar, cantar, recoger ofrenda, viajar, comprar, construir, ornamentar, doctrinar, no son en sí objetivos principales. En Efesios 1, se nos describe la razón de ser o el propósito para el cual Dios nos ha comprado a alto precio: Vivir para su gloria. Cuando el cristiano y las organizaciones cristianas viven para la gloria de Dios, están viviendo para satisfacer su necesidad existencial y razón de ser.

En esencia, los objetivos primordiales de la organización cristiana debieran ser el lograr que todos sus miembros lleguen a ser hombres y mujeres de Dios y que la organización como un todo viva esencialmente para la gloria de Dios, en obediencia a su mandato.

Los objetivos secundarios caerán en su adecuado lugar, una vez que estas prioridades hayan sido fijadas claramente en la mente del administrador y las demás personas.

Finalmente debe asegurar que los objetivos que se establezcan, tanto como el resto del plan en sí, le pongan en una posición en la cual tenga que admitir que no podrán lograrse dichas metas por mérito propio, sino que tenga necesariamente que confiar a Dios cada fase del plan para lograr su realización. De esta manera asegura que será para la gloria de Dios.

Si establecemos objetivos pequeños, limitados, humanamente realizables, no darán oportunidad para que Dios intervenga y sea glorificado.

Alguien ha dicho que los cristianos debiéramos planear de tal forma, que a menos que Dios intervenga, nuestros planes estén destinados al fracaso. A esto podríamos llamarle nuestra fe con obras aplicada a la administración cristiana.

Establecemos pues que la administración profesional consiste en el logro de objetivos predeterminados, mediante el guiar los esfuerzos humanos hacia ese fin.

Es en este nivel de ejercicio del pensamiento en que los administradores deben ser adiestrados a apartar porciones de tiempo para la oración y para "reabastecerse" intelectual y emocionalmente.

Los administradores dan de sí constantemente. Por definición de sus cargos siempre están trabajando con y mediante otras personas y esto consume sus energías. Cuando un admi-

46

nistrador está dando mucho de sí mismo, debe reabastecerse mediante el contacto con otros administradores y líderes que están en su misma área de especialización y también mediante la interacción y diálogo con líderes en otras áreas de especialización.

En el mundo cristiano esto es logrado adecuadamente mediante los congresos mundiales de evangelización y discipulado, mediante simposios, conferencias, retiros de líderes y dirigentes, en los seminarios e instituciones de enseñanza, y otros medios. La actitud del administrador deberá ser de estar dispuesto a reabastecerse mental, intelectual, emocional y espiritualmente, tanto como le sea posible.

ELABORE EL PROCEDIMIENTO PARA EL LOGRO DE SUS OBJETIVOS

Este paso de la planificación consiste en conceptualizar el orden en que los subobjetivos deberán ser logrados para alcanzar la meta.

Después que ha determinado claramente qué es lo que deberá ser logrado, es lógico pensar que el próximo paso sea el de establecer cómo lo va a lograr.

En esa etapa establezca los diferentes niveles o escalones que se hacen necesarios para ir de donde usted se encuentra hacia el logro de los objetivos. Inicie una actividad, luego otra, hasta que todas las tareas o pasos se encuentren eslabonados y garanticen el logro de los objetivos. Finalmente, termine con una lista de cosas que sean necesarias y el orden en que deberán ser hechas.

Un ejemplo: Supongamos que mediante el proceso de oración y reabastecimiento intelectual y espiritual Dios le llamó a establecer como una de las metas de su vida, el tomar una posición de liderazgo en la vida civil de su comunidad durante los próximos cinco años. Dios le convenció que debería ser diputado al Congreso de la República. Mediante ello y seguro de su llamamiento y dedicación a Cristo, piensa que podrá hacer un aporte definitivo al avance del evangelio en segmentos de la

ILUSTRACION NO. 2
HOJA DE TRABAJO PARA PLANIFICAR
LA FIJACION DE OBJETIVOS

ESTABLEZCA LOS OBJETIVOS (QUE ES LO QUE SE QUIERE)

a. Factores importantes:

b. Elementos del objetivo

(1) Campo de acción (lugar)

(2) Logros deseados

(3) Fechas—meta

c. Declaración que resume los objetivos

sociedad nunca antes alcanzados, así como de influir en la legislación para que ésta sea acorde con los principios cristianos. La meta indudablemente es clara y concisa. Usted quiere llegar a ser diputado al Congreso. Pero, ¿cómo va esto a ser logrado? Aquí entra en juego la fase de *procedimiento*. Mediante su aplicación tiene que conceptualizar los pasos a seguir para el logro de la meta.

Es indudable que para llegar al logro de una meta de esta naturaleza, tendrá que realizar una serie de actividades que unidas unas con las otras le garanticen el éxito.

Así podemos pensar que la primera actividad podría ser el darse a conocer como candidato y concientizar a un determinado sector de la población de su presencia y habilidades. Posteriormente, habría que pensar en una intensa campaña de publicidad y promociones para crear una imagen, entusiasmo y un momento adecuado. Casi junto con este paso habría que considerar el financiamiento de dicha campaña publicitaria. Un último escalón que habría que tomar en consideración es la preparación para la campaña previa a las elecciones. Así, mediante la reflexión y preparación de esta secuencia o pasos a seguir conceptualiza cómo va a lograr la meta.

Recordemos que las metas no pueden ser logradas de un solo salto de la noche a la mañana. Se hace necesario seguir una secuencia o procedimiento. (Véase el siguiente diagrama.)

Otro ejemplo: Supongamos que su organización tiene una

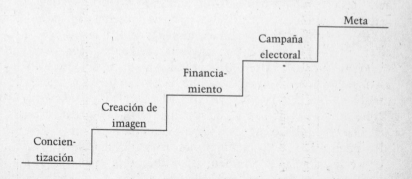

determinada necesidad financiera para la adquisición de un edificio. Después de estar en oración y reflexión, Dios ha aclarado en su mente y en la de sus colaboradores, una determinada cantidad de dinero que deberá ser recaudada para realizar la compra. Supongamos que la cantidad consiste en $50.000 que deberán ser recaudados en un año.

Así, a primera vista la cantidad nos parece impresionante. Pero aplicando el principio del procedimiento, podremos desglosar o desmenuzar esa cantidad en varias pequeñas cantidades que podrán ser asignadas en una secuencia lógica más factible.

Podría pensarse, por ejemplo, que cada una de las entidades o fraternidades internas de su organización, tomen la responsabilidad de reunir $10.000 cada una. Así conceptualizamos esa gran cantidad más fácilmente. O bien, puede decirse que los miembros de la organización serán responsables de vender un determinado número de bonos que aseguren el logro de la meta, etc. Lo importante en este paso es resolver *cómo* nos acercaremos al cumplimiento de la meta mediante *metas más pequeñas* u objetivos factibles de ser logrados consecutivamente. (Véase ilustración # 3, página 51.)

VIERTA SU PROCEDIMIENTO EN UN ESQUEMA DE TIEMPO O CALENDARIO

En esta etapa, usted determina *cuándo* las diferentes partes del plan deberán ser puestas en acción. Tome las diferentes actividades establecidas en el paso anterior o sea el procedimiento y las coloca dentro de un marco de referencia de tiempo, sea este de horas, días, semanas, meses o años. Luego asigne a cada actividad una marca convencional mediante la cual se entienda cuándo deberá ser iniciada y finalizada dicha actividad, o ponga una marca que indique que deberá ser hecha perpetuamente. En este paso es de capital importancia establecer la fecha límite, o "fechas de tolerancia máxima" para cada una de las actividades intermedias. Estas le servirán de guía y mediante ellas puede evaluar en cualquier momento el avance de su plan. La fase de calendario es sumamente importante ya que asegura que su plan sea percibido por cada una de las personas relacio-

ILUSTRACION No. 3

HOJA DE TRABAJO PARA EL PROCEDIMIENTO (COMO LOGRARLO)

1. LO QUE EXISTIRA AL ALCANZAR EL OBJETIVO	2. LO QUE EXISTE AHORA	3. ACCIONES NECESARIAS PARA LOGRAR EL OBJETIVO

ILUSTRACION No. 4
CALENDARIO DEL PLAN

ACTIVIDADES	Ene.	Feb.	Mar.	Abr.	Mayo	Jun.	Jul.	Ago.	Sep.	Oct.	Nov.	Dic.

nadas con él, en una forma armoniosa y global, coherente con el factor tiempo disponible. (Véase ilustración # 4, página 52.)

ELABORE EL PRESUPUESTO

Al llegar a este último paso establezca *cuántos* recursos se harán necesarios para el logro de la meta, sean éstos metodológicos, técnicos, intelectuales, humanos, o económicos. Asimismo, deberá aclararse en ese paso cómo van a ser obtenidos dichos recursos. Aquí debemos insistir que la etapa de presupuesto no se refiere necesariamente a dinero, sino a todos aquellos *recursos* que entrarán en juego para la realización del plan.

Una advertencia fundamental es no hacer el plan a la luz de los recursos disponibles, ya que generalmente los resultados serían la obtención de un plan mediocre. El plan deberá ser fruto de la fase de oración e inspiración. Ya que Dios le ha dado esa convicción, y le ha dado un plan, puede estar seguro de que él le proveerá los recursos necesarios para su total realización.

Ore específicamente por los recursos que necesita. Dios no le negará los recursos que se hacen necesarios para la ejecución del plan (Filipenses 4:19). Quizás convenga recordar que la experiencia de las grandes realizaciones de la iglesia tanto en el Nuevo Testamento como en nuestra época, nunca han estado basadas en los recursos materiales de que se disponía. Si así se hubiera hecho, el evangelio jamás se hubiera convertido en un movimiento de alcances mundiales. Han sido hombres de fe, guiados por Dios, los que se trazaron planes con metas de grandes alcances, que sólo podrían ser logrados por la intervención de Dios mediante la adecuada provisión de recursos.

Dios lo ha hecho. Ha sido fiel en el pasado y lo será en el presente y en el futuro. El extendimiento de su reino, la predicación del evangelio, la discipulación de los cristianos, el crecimiento de la iglesia, son exactamente su propósito y su voluntad.

Así pues, en esta parte final proceda a identificar específicamente aquellos recursos que serán necesarios para el logro de su plan. Los principales son los recursos humanos y los recursos materiales. Ambos están en manos de Dios, y él sólo espera que

ILUSTRACION No. 5

PLANIFICACION DEL PRESUPUESTO

1. RECURSOS NECESARIOS PARA REALIZAR EL PLAN	2. RECURSOS DISPONIBLES AHORA	3. ACCIONES NECESARIAS PARA OBTENER LOS RECURSOS

nosotros le creamos para revelarnos la abundante reserva que de ellos nos tiene preparada. (Véase ilustración # 5, página 54.)

COMO PLANEAR ACTIVIDADES SENCILLAS

Vamos a ilustrar brevemente cómo puede aplicar los puntos anteriores a una actividad sencilla, a manera de familiarizarse con la planificación. Como vía de ejemplo propondremos una situación común para ver cómo cada una de esas etapas puede ser aplicada.

Ejemplo: El día de mañana usted tiene que estar presente con varios de sus colaboradores en una sesión semanal, establecida para llevarse a cabo regularmente y en un período de dos horas. En esta reunión anticipa estar con cinco personas o más, por lo cual cree más conveniente dedicar unos minutos a la planificación de la misma para evitar pérdida de tiempo y asegurar el llegar a conclusiones específicas.

1. Ore y pida a Dios que le dé sabiduría para dicha reunión. Escriba varios versículos bíblicos que hablen a su corazón conforme estudia la Escritura en preparación para esa sesión. Inclusive anticipe poder compartir uno o dos de esos versículos leyéndolos rápidamente como inicio de la sesión.
2. Establezca los objetivos que quiere lograr en dicha sesión.
   A. Establezca lo que desea *informar* a sus asociados acerca de los logros recientes de la organización y los avances generales del trabajo.
   B. Establezca que es el momento adecuado para dar oportunidad a sus colaboradores a hacer *sugerencias y recomendaciones* sobre varios aspectos importantes del trabajo.
3. Elabore el procedimiento para el logro de los objetivos. Con respecto al objetivo de informar acerca de los logros, determine qué actividades se harán necesarias.
   A. Deberá reunir y brindar toda la información posible que hable de dichos logros y avances del trabajo tales como estadísticas, informes, correspondencia, evaluaciones de rendimiento.

B. Seleccione y ponga en orden de importancia aquella información que piensa será de mayor utilidad e interés a sus colaboradores.

C. Deberá leer esta información durante la reunión.

D. Finalmente se dará tiempo suficiente para que los colaboradores tengan la oportunidad de aportar cualquier información adicional que pueda ser complementaria al propósito de informar sobre los logros.

Respecto del segundo objetivo de dar sugerencias y recomendaciones, establezca que será necesario lo siguiente:

1) Enumerar aquellos aspectos más importantes para hacer recomendaciones sobre ellos. Estos pueden ser:

   a. Preparación para un congreso que se avecina

   b. Mudanza a una nueva oficina

   c. Progreso de un proyecto de trabajo pendiente

2) Determine el orden en que deberán ser discutidos los diferentes asuntos. Parece ser lógico que no se podrá discutir sobre el hecho de moverse a una nueva oficina hasta que el proyecto de trabajo que estaba pendiente, sea finalizado. El congreso que se avecina no está tan cerca como parece, por lo cual podría ser discutido a lo último y si hay tiempo.

De manera que el orden de la agenda del día podría ser el siguiente:

   a. Discutir y evaluar el proyecto de trabajo pendiente.

   b. Tratar el asunto de la mudanza a la nueva oficina.

   c. Hablar de los preparativos del congreso que se avecina.

3) Se tratará cada tema según el tiempo que se tenga disponible y se deberá alcanzar el punto en el cual se puedan hacer recomendaciones sólidas para tomar acción. (Se recuerda a sí mismo que es a usted a quien los colaboradores le harán las recomendaciones para la toma de decisiones.)

4. Elabore el horario o patrón de tiempo.

Las actividades del primer objetivo tomarán aproximadamente 30 minutos de la reunión, incluyendo un poco de tiempo para los preparativos del salón, sillas etc. Después de hablar sobre los logros recientes, se podrían dedicar 45 minutos al proyecto de trabajo pendiente. Posteriormente podríamos dedicar 30 minutos más para hablar de la mudanza a la nueva oficina y 30 minutos adicionales para hablar de los preparativos del congreso que se avecina. Al sumar este tiempo nos damos cuenta que necesitaríamos 135 minutos, y sólo disponemos de 120 minutos o sea dos horas para esta sesión. De modo que hay que recortar 15 minutos a la discusión del congreso que se avecina para no sobrepasar el límite de tiempo.

Así pues, este último punto queda reducido a 15 minutos en vez de 30 como se le había asignado anteriormente.

Me recuerdo finalmente que en los tiempos asignados, he destinado los últimos 5 minutos para conclusiones. Debe recordar a los colaboradores cuándo deberán empezar a hacer conclusiones en cada uno de los puntos tratados.

5. Elabore un presupuesto.

Para esta sesión no parece necesario el hacer un presupuesto complejo, pero encontramos que la sesión se realizará al medio día y hay que prever el tener comida para los seis que vamos a estar en la misma.

De manera que, anoto en mi agenda el hablar con mi secretaria para que reserve seis comidas y cargue su respectivo costo a la cuenta de la compañía.

Asimismo, encuentro necesario que necesitaré algunos elementos técnicos y ayudas audiovisuales para llevar a cabo esta sesión. Necesitaré un proyector, un pizarrón, y material para escribir. Harán falta unas transparencias, mediante las cuales se expresarán las estadísticas y deberé verificar que la oficina en donde nos reuniremos tenga seis asientos o sillas cómodas para cada uno. Adicionalmente, necesitaré unas tarjetas de cartulina para distribuir cuando lleguemos al momento de conclusiones, sugerencias y recomendaciones, para que escriban allí sus sugerencias y de esta manera evitemos pérdida de tiempo haciéndolo verbalmente.

OTRAS CONSIDERACIONES AL PLANIFICAR

Una vez que se haya familiarizado con los principios y prácticas de la planificación, es bueno que conozca algunos otros aspectos importantes que pueden ser de gran utilidad en su trabajo:

1. Asegúrese de que su plan sea realizado en tal forma que Dios reciba la gloria.

Esto se logra planificando más allá de lo que usted mismo y sus asociados pueden hacer por sus propias fuerzas. En el mundo de los negocios esta práctica es muy común. Hay algunas empresas que cada año suprimen hasta un 10% de sus productos aunque sean de buena venta, con el propósito de motivar la creatividad y la excelencia.

También es interesante ver como algunas de estas empresas meramente comerciales tienen metas ambiciosas. Por ejemplo, la compañía Avon de cosméticos tiene como meta visitar todos los hogares de México cada año, para ofrecer sus productos. La compañía Coca Cola tiene como meta el lograr que todos los habitantes de la tierra, comprendidos en determinadas edades prueben por lo menos una vez en su vida ese producto.

Si estas metas ambiciosas pueden ser encontradas en empresas cuyo poder reside en el ingenio y en la habilidad humana, cuanto más la empresa cristiana deberá dejar oportunidad para que Dios sea glorificado mediante metas grandes que estiren no sólo la capacidad de los hombres que participan, sino nuestra fe.

Recordemos que los planes pequeños no incendian la mente de los hombres.

2. Espere que su plan pueda sufrir modificaciones.

Si usted comprende a cabalidad este punto encontrará que su planificación puede hacerse sin recurrir a hacer los planes "como esculpidos en piedra". No es necesario hacer un plan inflexible. Deje lugar para ajustes y modificaciones que serán necesarios mientras evalúa y corrige.

También debe tomar en consideración que aunque hay elementos del plan que pueden ser modificados y ajustados, hay asimismo elementos que no deberán ser modificados bajo ningún concepto.

Los elementos que pueden ser cambiados eventualmente son el calendario, el procedimiento o el presupuesto para hacer frente a contingencias y situaciones inesperadas. Los objetivos del plan no deberán ser cambiados.

Si acaso encuentra necesario modificar los objetivos secundarios, más bien sustitúyalos por otros que siempre lo conduzcan a la gran meta que dio origen a su plan.

Por lo general las modificaciones parecen necesarias a la luz de la escasez de recursos. Cuando tropezamos con la dificultad de recursos escasos sean éstos humanos, técnicos o financieros existirá la tendencia de cambiar los objetivos rápidamente, en vez de ello lo que puede hacer es lo siguiente:

a. Ore y agradezca a Dios porque él suplirá todos los recursos que sean verdaderamente necesarios.

b. Verifique nuevamente y cerciórese hasta estar completamente seguro de que dichos recursos no se encuentran disponibles. Sepa distinguir las razones valederas y objetivas de las excusas que algunos podrían darle.

c. Si los recursos realmente no existen, investigue cuidadosamente las diferentes maneras de modificar el "procedimiento" o el "calendario" para alcanzar las metas y objetivos previamente establecidos, a la luz de la escasez que se ha presentado.

d. Modifique sus subobjectivos o sustitúyalos por otros que hagan posible alcanzar la meta con los recursos con que cuente.

3. Aproveche el talento de otras personas en el proceso de planificación.

Si el planificar no es una de sus habilidades naturales, bien puede ser que en su organización haya personas a quienes puede ser delegada esta responsabilidad. Dichas personas deberán estar interesadas en hacerlo y deberán tener probada capacidad para planificar. Dígales cuáles son sus convicciones e ideas sobre el plan y pídales que preparen un anteproyecto para ser aprobado por usted. Esto puede ser hecho mediante una o varias personas. Usted puede encargar a varias personas que elaboren anteproyectos de un determinado plan para aprovechar las mejores ideas que puedan surgir.

Si algunos parecen tener habilidades potenciales pero no las han desarrollado, reúnalos y enséñeles el bosquejo sobre "Cómo planificar" y los principios que deben ser seguidos para ello.

Recuerde que en este proceso deben ser recibidos todos los anteproyectos e ideas y nunca deberá criticarse a nadie, por impracticables que sean sus recomendaciones.

Finalmente, recopile todos los anteproyectos hechos por colaboradores y trabaje en la elaboración del plan que será seguido.

En este proceso deberá tener en cuenta las normas, políticas, decretos y estatutos que rigen su organización para que la planificación sea hecha a la luz de estos postulados.

4. Recuerde que un plan da visión a la gente.

Es recomendable que una vez elaborado el plan, haga un resumen del mismo en el cual se enfaticen los puntos principales así como las metas y objetivos a lograrse.

Este plan puede ser presentado a sus asociados más inmediatos, a sus subalternos o a todos los miembros de la organización como un elemento motivador.

Hay algunos administradores que se refieren constantemente al plan aun en las entrevistas personales que realizan con miembros de su personal. Esta es una buena práctica.

5. No cambie de planes constantemente.

Existe la tendencia por parte de algunos administradores a cambiar de planes constantemente, aun dentro de un mismo año. Esto tiene la desventaja de confundir a las personas que trabajan con usted, mayormente si al cambiar de planes se sugieren otras metas y objetivos. El cambio de planes hace que se pierda la motivación que había sido ganada para el plan anterior y se crea algo de confusión entre la gente. También el índice de credibilidad respecto de la palabra y habilidad del administrador podría ser puesto en tela de duda.

Recuerde que siempre es mejor tener un plan modesto y lograr resultados, que cambiar planes constantemente y no lograr las metas propuestas.

Es responsabilidad moral del administrador proveer una cadena de éxitos a sus subordinados para que puedan desarrollarse en sus respectivos trabajos.

6. Planifique el planificar.

Recuerde siempre incluir en su plan y como objetivo expresado dentro del mismo, el planificar para el próximo año, para el próximo período. Esto nunca deberá ser dejado al azar.

Deberá separarse un tiempo adecuado para pensar claramente. Estos pueden ser 2 ó 3 días al año o hasta una semana, lo cual no es considerado excesivo por la mayoría de los administradores. Invite a algunos de sus colaboradores clave para que le ayuden en este tiempo de planificación anual. Asegúrese de llevar todo lo que necesita, tal como evaluaciones, estadísticas, informes, correspondencia, su cuaderno de notas y la Biblia, así como de cualquier otra información pertinente.

El lugar físico en donde se realice este retiro para la planificación una vez al año, deberá contar con las facilidades para el desarrollo de esta necesidad, así como de materiales que hagan posible el aprovechar cada hora en ese propósito. Papeles, rayados especiales, estatutos de la organización, lápices, marcadores, materiales audiovisuales, y por supuesto, las metas que se esperan alcanzar en ese tiempo de planificación.

7. Manténgase sensible a la dirección de Dios.

Ningún plan deberá constituirse en obstáculo en el camino que Dios quiere mostrarle. Si Dios le dirige a hacer algo que no estaba considerado en su plan original, en primer lugar asegúrese de que tal impresión es de Dios y luego obedézcale sin ninguna vacilación. La manera que usted se asegura de que las nuevas impresiones son de Dios, es primeramente mediante su Palabra escrita (la Biblia). En segundo lugar, mediante la oración. En tercer lugar, mediante el consejo de cristianos maduros y en cuarto lugar, mediante las impresiones que Dios pone en su mente. En ese orden.

Bien puede ocurrir que Dios le dirija a aprovechar puertas que antes no estaban abiertas, por lo cual debe ser sensible a su guía en determinado momento de su vida.

Generalmente, el plan que hacemos al principio de un año, al principio de un proyecto, es la mejor dirección de Dios hacia nosotros y nuestros esfuerzos. Mediante el plan, Dios nos mostrará cómo quiere dirigir nuestros esfuerzos.

La experiencia de la mayoría de los cristianos es que Dios no les dirige mediante fuertes impresiones o mediante instrucciones dramáticas para vivir su vida de día en día. En realidad Dios no tiene que hacerlo así, pues él ya nos ha dicho lo que espera de nosotros y sus mandatos son claros en la revelación contenida en su Palabra escrita y mediante la dirección del Espíritu Santo en nuestras vidas. Por lo mismo, es razonable esperar que él quiera y pueda ayudarnos a planificar sabiamente nuestro ministerio y nuestra vida.

Las impresiones del Espíritu de Dios de cambiar nuestro plan original, serán más bien la excepción y no la regla.

Capítulo 6

ORGANIZANDO

Motivación bíblica: "Pues Dios no es Dios de confusión sino de paz ... pero hágase todo decentemente y con orden" (1 Corintios 14:33, 40).

"Organizar es el proceso de colocar hombres y mujeres dentro de una estructura, para el logro de los objetivos expresados en el plan."

El organizar es como ya sabemos, el segundo paso del proceso administrativo. Mediante este paso usted va de la parte filosófica y conceptual a encararse con la necesidad de crear una estructura que garantice el logro de los objetivos.

Hay cuatro palabras clave que resaltan en esta definición.

1. Proceso

El organizar es una acción continua y dinámica. Debido al crecimiento de las organizaciones y a los cambios de personal que son necesarios, usted deberá revisar constantemente su estructura organizacional. Usted no organiza de una vez por todas, sino que deberá estar dispuesto a hacerlo continuamente.

2. Hombres y mujeres

Sin personas no podrá existir la estructura organizacional; esto parece natural pero a menudo tendemos a poner nuestra atención en los organigramas y cuadros; en las descripciones de trabajo y papeles, al punto que olvidamos que estamos trabajando con personas de carne y hueso, que tienen tanto habilidades como necesidades, aspiraciones, como dificultades naturales, lados fuertes y lados débiles. El Señor Jesucristo nos dijo que su cuerpo, la iglesia, es como una organización unificada por el Espíritu Santo de la cual él es la cabeza. Pero a la vez Cristo estuvo interesado en cada uno de los miembros como individuos y en su participación en la estructura. Debemos tener cuidado de mantener este equilibrio y la adecuada perspectiva para no ignorar el factor humano.

3. Estructura

Así como el esqueleto del cuerpo humano o el marco de acero de un gigantesco rascacielos, hace posible sostener el resto de sus partes, y sus funciones, así también ocurre en el proceso administrativo.

Es mediante la estructura organizacional que el plan está armado en una sola unidad. Esta sirve para relacionar a los individuos unos con otros, para proveer las comunicaciones que se hacen necesarias, y la dinámica que garantice el logro de los objetivos.

4. Objetivos

El único propósito para organizar a los hombres y mujeres en una estructura, deberá ser el logro de los objetivos.

El organizar o invitar gente dentro de un sistema, sin una meta definida y clara, es inútil.

Un ejemplo podríamos tenerlo al iniciar un viaje en automóvil con toda nuestra familia. Supongamos que llenamos el tanque de combustible, nos dirigimos a una carretera pero sin saber cuál es nuestro destino final.

Muy pronto nuestra familia estaría muy inquieta y a pesar de que los tendríamos "estructurados" dentro del vehículo, y al mismo no le haría falta nada para mantenerse funcionando, tendríamos serias dificultades en motivar a nuestros familiares para seguir adelante.

Organizar es pues el elemento que hace posible la realización de los objetivos contenidos en el plan, mediante la utilización adecuada de los hombres y mujeres dentro de una estructura dinámica.

Recuerde que el organizar no es producir una estructura rígida, ni imponer un sistema indeseado sobre la gente. Algunos piensan que es como una "camisa de fuerza" que anula la libertad de acción y por ello resienten la estructura organizacional y el ser puestos en un organigrama. Pero comprendido correctamente, desarrollará un enorme potencial de parte de todos aquellos que participan.

¿POR QUE ORGANIZAR?

Si usted no organiza, muchas cosas importantes serán hechas mal o simplemente serán pasadas por alto.

En Hechos 6:1–3 leemos de un caso en el que ciertas cosas estaban siendo pasadas por alto. Se trataba de ciertas viudas que fueron olvidadas al servir los alimentos. Los discípulos reconocieron esta necesidad, reunieron a la congregación y colocaron a ciertas personas en posiciones administrativas, hombres que llenaban los requisitos para suplir aquella necesidad.

La iglesia se organizó para asegurar que sus actividades esenciales no fueran pasadas por alto.

No sólo puede ocurrir que las cosas sean pasadas por alto, sino que por falta de una organización eficiente, el trabajo sea hecho mal. Esto acarrea frustración de parte de aquellos que participan y una medida de inseguridad en la experiencia del administrador.

Si organiza, su potencial de logro será mayor.

Hay muchos ejemplos en la Escritura y en la historia de la iglesia que nos demuestran que si usted es específico y claro al colocar a los hombres y mujeres en sus responsabilidades, las cosas serán hechas mucho mejor.

John Wesley, D. L. Moody y Juan Mott han sido reconocidos en la historia de la iglesia como hombres que fueron usados por Dios para alcanzar a millones de personas con el mensaje de Jesucristo. Ninguno trató de hacerlo por sí solo. Fueron excelentes organizadores, pues supieron colocar a hombres y mujeres en sus estructuras organizacionales para el logro de la meta que Dios había propuesto delante de ellos.

PRINCIPIOS DE LA ORGANIZACION

Recuerde siempre que la estrategia va antes de una estructura.

O bien, podemos decir, que la conceptualización de la tarea debe ser colocada en la estructura antes que la gente.

Uno de los errores más típicos de la administración es empezar a colocar gente antes de haber determinado los objetivos del plan; antes de haber conceptualizado en qué consistirá la tarea.

En la Biblia tenemos este principio claramente ilustrado mediante el testimonio de un gran siervo de Dios como lo fue Nehemías, quien tuvo la convicción de reconstruir el muro de Jerusalén.

Esta tarea requería naturalmente la ayuda de muchas personas, pero Nehemías no invitó a nadie a comprometerse, sino hasta haber inspeccionado las ruinas del muro por él mismo y después de haber conceptualizado en qué consistía el trabajo que tenía por delante. En Nehemías 2:12–17, se nos dice: "Me levanté de noche, yo y unos pocos varones conmigo, y no declaré a hombre alguno lo que Dios había puesto en mi corazón que hiciese en Jerusalén; . . . y subí de noche . . . y *observé el muro (itálicas del autor) . . .*".

Cuando organice, hágalo tomando en consideración los grupos de afinidad natural.

En toda actividad parecen existir grupos naturales de funciones y actividades. Estas afinidades necesitan ser reconocidas al organizar.

Usted puede visualizar mentalmente una organización, como una serie de recipientes interconectados con tubos a través de los cuales pasa la información, los materiales, la energía, el trabajo. Las actividades que son más comunes y similares entre sí y que requieren la más intensa y frecuente interacción deberán estar en el mismo recipiente. A estos recipientes de funciones semejantes, repetitivas o comunes, les llamaremos "grupos de funciones naturales".

Nehemías tomó en consideración este principio al tomar funciones reconocidas que determinadas familias realizaban en la reconstrucción del muro. Así, tuvo a los carpinteros, herreros, cortadores de piedra, constituyendo grupos naturales.

Luego procedió a dividirlos y a asignar responsabilidades en forma más precisa, lo cual nos conduce al siguiente principio.

1. De instrucciones específicas.

Una vez más, veamos el ejemplo de Nehemías. El dedicó un capítulo entero de su libro para asignar responsabilidades concretas a todos aquellos que deberían de trabajar en el muro (Nehemías 3).

Otro ejemplo de este principio lo vemos en Números 3, en donde Jehová dio a Moisés en forma muy detallada las "descripciones de trabajo" para los levitas.

2. Evite los extremos.

Al hacer organigramas puede incurrir en extremos involuntariamente. El uno consiste en diseñar la estructura de manera tal que el presidente, administrador o jefe tenga que dirigir a demasiadas personas directamente. Esto hará que el administrador esté siempre agobiado tratando de dar instrucciones a aquel grupo de personas que le informan directamente a él, lo cual además de producir un liderazgo caudillista, entorpece la creatividad y dinámica que debe existir.

El otro extremo es el de una excesiva elaboración de niveles burocráticos u organizacionales mediante el cual el administrador se encuentra separado por cuatro, cinco o seis niveles, de los últimos hombres en la organización. Estos últimos hombres casi nunca tienen oportunidad de conocer cuáles son las imágenes mentales del administrador y se suman a una rutina conformista.

El equilibrio aquí dependerá de varios factores, tales como el tamaño de la organización, la multiplicidad de actividades y la capacidad administrativa de los hombres en la organización. Aun los administradores más eficaces han descubierto que no pueden atender a más de seis personas que les respondan directamente.

Evite los extremos y busque un equilibrio en los niveles organizacionales al elaborar sus organigramas.

COMO ORGANIZAR

Para organizar adecuadamente puede seguir estos pasos:
1. Organice a partir del plan.

2. Elabore descripciones de trabajo para todos aquellos que participan en el plan.

3. Delegue.

ORGANIZANDO A PARTIR DEL PLAN

1. Enumere todas las funciones y actividades que aparecen en su calendario de planificación. Incluya en esta lista cualquier actividad adicional que haya sido omitida tal como tiempo para planificar, para pensar, hacer tareas administrativas, etc.

En segundo lugar, identifique los grupos naturales de funciones que se relacionan estre sí.

Recuerde que los grupos de funciones se establecen antes de los grupos de personas. Así, usted usará una serie de símbolos convencionales para hacer su cuadro de funciones.

Un cuadro sobre otro cuadro, indica que el de arriba es un grupo mayor y el de abajo es un grupo subordinado al de arriba.

Un cuadro al lado de otro, indica que es asesor o de ayuda a otro de los cuadros de funciones.

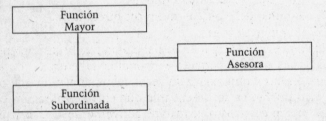

Luego haga una lista de todo el personal existente disponible. Rápidamente escriba las habilidades distintivas y las áreas débiles de cada persona según las conoce.

Luego, en la parte superior de su organigrama de funciones, escriba en orden descendente los nombres de las personas colocándolos en cada uno de los grupos de funciones según deben corresponder. Siempre trate de utilizar los aspectos fuertes de las personas en las funciones, o bien su experiencia previa comprobada.

Una persona podrá aparecer atendiendo varios grupos de funciones naturales, pero lo ideal es que haya una persona o

más para atender cada función, dependiendo esto de la importancia y complejidad de las funciones.(Véase ilustraciones # 6, # 7, # 8, páginas 70, 71, 72.)

2. Elabore las "descripciones de trabajo".

Las descripciones de trabajo aunque no son un contrato pueden ser consideradas como uno.

Esencialmente, difieren del contrato en que no representan un valor jurídico y no van firmadas.

Las descripciones de trabajo representan únicamente un valor administrativo.

En su empresa cada persona debe de tener una descripción de trabajo, ésta es la primera herramienta de trabajo para el administrador.

En esencia la descripción de trabajo es un documento que responde las siguientes preguntas:

a. ¿Cuáles son las responsabilidades específicas del trabajador?

b. ¿Qué tipo de autoridad tiene?

c. ¿A quién debe buscar como sus directores?

d. ¿A quiénes dirige?

El elemento principal en la elaboración de la descripción de trabajo es el acuerdo perfecto e incondicional entre el administrador, gerente o quien haga las veces del mismo, y el trabajador. Por esto mismo es recomendable que en la elaboración de la "descripción de trabajo" participe activamente el trabajador y que se dé a esta fase el tiempo que sea necesario, ya que esto es vital para las relaciones futuras. Mediante esta interacción ayudará al subordinado a desarrollar un espíritu de lealtad, entrega y dedicación y a la vez éste comprenderá mejor lo que se espera de él.

Recuerde que nunca se tendrá una "descripción de trabajo", hasta que usted y la persona subordinada estén en perfecto acuerdo sobre el contenido de dicho documento.

Conceptualmente, nadie deberá de tener una responsabilidad que su superior inmediato no comparta. Bajo este sistema el peso total de la responsabilidad descansa en los hombros del

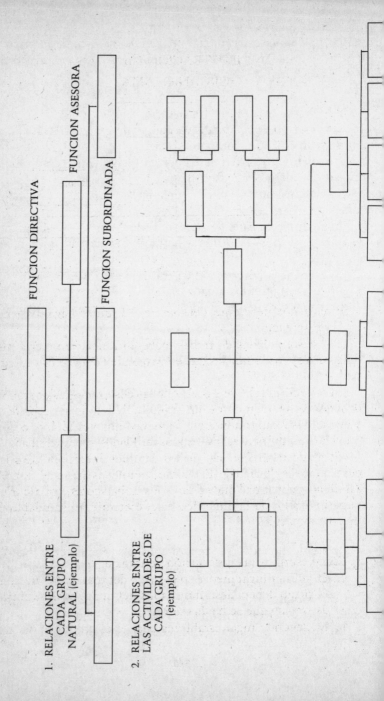

ILUSTRACION No. 6

ORGANIGRAMA DE FUNCIONES

FUNCION DIRECTIVA

FUNCION ASESORA

FUNCION SUBORDINADA

1. RELACIONES ENTRE CADA GRUPO NATURAL (ejemplo)

2. RELACIONES ENTRE LAS ACTIVIDADES DE CADA GRUPO (ejemplo)

ORGANIGRAMA

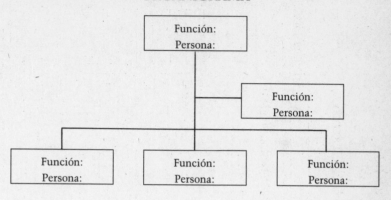

administrador presidente, del gerente, o de quien haga sus veces en la organización.

Las descripciones de trabajo deberán reflejar en cierta medida las responsabilidades que corresponden a los jefes superiores.

Finalmente, debemos decir que las descripciones de trabajo deberán ser instrumentos dinámicos que han de ser repasados y evaluados regularmente por lo menos una vez al año, con el propósito de aumentar las responsabilidades y la autoridad.

El grado de frecuencia de los cambios incorporados a las descripciones de trabajo, así como las nuevas áreas de responsabilidad y autoridad que se dan a los trabajadores, son un muy buen indicador de la dinámica y del crecimiento saludable de una organización.

3. Cómo escribir una descripción de trabajo.

a. En primer lugar piense en el *título* del trabajo a realizarse. El título deberá describir lo más fielmente posible el tipo de trabajo que se ha de realizar.

b. En segundo lugar establezca cuál es el *propósito* del tra-

ILUSTRACION No. 8
ORGANIGRAMA DE UNA ENTIDAD CRISTIANA

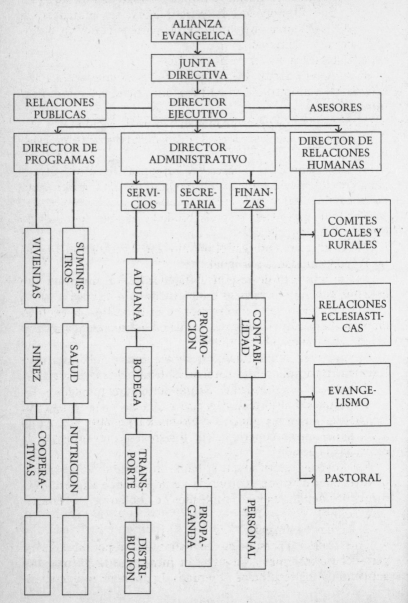

bajo. El organigrama de funciones y de personal le ayudará a visualizar en forma resumida los ingredientes de aquel trabajo. El propósito del puesto deberá ser enunciado en dos o tres oraciones breves en la parte superior de la descripción de trabajo.

c. Establezca el *campo de acción*.

El campo de acción bien puede referirse a una localización geográfica, a un piso en un edificio, a un nivel ejecutivo o administrativo.

Sea específico y describa bien el campo de acción.

(También pueden ser jornadas específicas: matutinas, vespertinas, etc.)

d. Luego enumere las áreas de responsabilidad que acompañan el trabajo y establezca el *tipo de autoridad* que es apropiado para *cada una* de las responsabilidades.

Recuerde que a cada responsabilidad corresponderá un tipo específico de autoridad.

No es adecuado otorgar el mismo tipo de autoridad a todas las responsabilidades por igual.

Saque una lista de responsabilidades del organigrama que cree que deberán ser puestas en la descripción de trabajo.

Luego, debajo de la descripción, escriba cualquier explicación que la haga más clara y la forma en que se relacionan con las metas de la empresa.

Respecto de la autoridad, diremos que esta puede ser considerada en tres diferentes categorías. Estas son las siguientes:

1) Actuar. La autoridad de actuar por cuenta propia.

Este tipo de autoridad capacita a la persona a realizar su trabajo bajo su propia iniciativa. No tendrá que buscar ninguna aprobación de sus superiores, ni informar posteriormente de efectuada la acción.

Es el tipo de autoridad que se llama "mano libre", "luz verde" o "carta blanca" y que es otorgada a empleados de alta jerarquía o aquellos denominados "empleados de confianza" en una organización.

2) Actuar e informar.

En este caso la persona puede realizar sus responsabilidades, pero deberá informar a su superior inmediato respecto de su actuación y los resultados obtenidos. La manera en que se informa deberá ser especificada previamente.

3) Actuar sólo con aprobación.

En este caso el subordinado no podrá tomar ninguna acción sino hasta recibir una aprobación específica. Esta es la autoridad mínima que puede ser otorgada.

Cuando usted se pregunte qué tipo de autoridad deberá asignar a cada responsabilidad en una descripción de trabajo, deberá tener dos factores en mente: la responsabilidad y experiencia de la persona y la función que realizará.

Hay ciertas responsabilidades que por su naturaleza demandan mayor grado de autoridad que otras. Si la autoridad no es dada adecuadamente a este tipo de responsabilidades, acarreará frustración en el desempeño del trabajo. (Véase ilustración # 9, página 75.)

Por lo general, las responsabilidades más detalladas y específicas necesitan mayor autoridad para ser realizadas.

La meta del administrador será incrementar el número de responsabilidades del individuo que tiene la primera clase de autoridad. Es decir, actuar por cuenta propia, para desarrollarle a niveles superiores del liderazgo.

Decíamos también que la experiencia es otro aspecto importante. Por lo general, cuando se están otorgando responsabilidades en áreas en que el subordinado ha tenido poca experiencia, deberá dársele una autoridad más reducida.

Finalmente, establezca al pie del documento denominado "descripción de trabajo", aquellas relaciones de trabajo que son importantes para la persona.

Por lo menos deberá aclarar a qué personas deberá informar dicho trabajador; quienes deberán informarle a él y buscarlo como su jefe y finalmente con quienes trabaja en el mismo nivel.

Esto podría ser sintetizado en el siguiente formato:

Yo le informo a:
Personas que deberán informarme a mí directamente:
Trabajo juntamente con:

ILUSTRACION No. 9

ORGANIGRAMA DE UNA ENTIDAD MAS COMPLEJA

(EJEMPLO: FUNCIONES, RELACION DE AUTORIDAD Y DESCRIPCION DE UNO DE LOS PUESTOS)

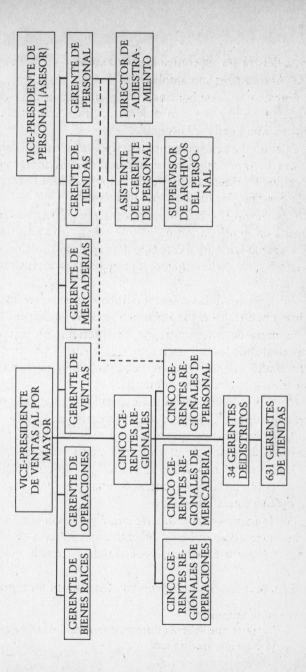

DESCRIPCION DE TRABAJO Y ACTUACION NORMAL

(Véase ilustración # 10, página 81.)

Puesto: Gerente de personal para el Departamento de mayoreo

Objetivo:

Concientizar al personal del departamento de ventas al por mayor y motivarlo con el fin de desarrollar sus capacidades y ubicarlos en sus puestos para elevar la·productividad, mejorar las relaciones, mantener la moral al punto de cumplir las normas y reglamentos del departamento, y lograr las metas del año, según el plan vigente.

Campo de acción:

Responsable de la función de todo el personal de la empresa. Verificar la selección y adiestramiento de los 350 empleados distribuidos en todo el país, en las 63 tiendas y oficinas administrativas.

Responsabilidades:

1. Creación de normas y desarrollo de programas:

Formular y presentar recomendaciones para aprobar normas adecuadas respecto de la gente y programas de desarrollo. Verificar que las normas y programas propuestos sean revisados y aprobados por el vice-presidente del Departamento de ventas al por mayor.

Autoridad:

Actuar según la descripción de esta responsabilidad e informar al vice-presidente del departamento.

Actuación normal:

Presentar las recomendaciones sobre normas y programas dos veces al año: 30 de junio y 30 de diciembre.

Las nuevas normas, ya aprobadas serán incluidas en el Reglamento interno del departamento, durante la primera semana de enero de cada año.

2. Servicios del personal y métodos:

Hacer un plan para satisfacer las necesidades de los ejecutivos del departamento mediante los servicios personales como son colocación, adiestramiento, clasificación, investigación técnica y atención médica.

Autoridad:

Actuar e informar al vice-presidente de personal.

Actuación normal:

El plan de servicios del personal debe ser presentado junto con el respectivo presupuesto, el 15 de mayo, con copia al vice-presidente del departamento.

3. Consejo personal y guianza:

Proveer liderazgo, consejería y asesoría a los gerentes regionales de personal y a los otros miembros y empleados relacionados con el mismo para que puedan llevar a cabo sus programas.

Autoridad:

Actuar a discreción de la persona.

Actuación normal:

El trabajo en esta área es satisfactorio cuando se tenga una entrevista trimestral (4 al año) con cada gerente regional para ayudarles a llevar a cabo sus programas de personal.

El 31 de diciembre deberán estar archivados y clasificados los informes completos de cada una de estas entrevistas.

4. Evaluación de la eficacia del programa:

Verificar continuamente la eficiencia del programa de desarrollo del personal y mantener al gerente regional de personal y a los gerentes de personal informados de los resultados de la selección y adiestramiento de recursos humanos.

Autoridad:

Actuar e informar. Con copia a los dos vice-presidentes.

Actuación normal:

Presentar esos informes cada dos meses, incluyendo análisis, interpretación y correcciones recomendadas.

5. Investigación técnica:

Mantenerse perfectamente informado de las corrientes de pensamiento, oportunidades y disponibilidad de nuevos recursos humanos, tanto dentro de la compañía, como fuera de ella.

Autoridad:

Actuar a discreción de la persona.

Actuación normal:

Inscribir la empresa como miembro de la Cámara de Comercio local antes del 30 de junio. Suscribirse personalmente a 3 revistas y un directorio relacionados con personal, antes del fin de este mes.

6. Operaciones del personal:

Coordinar y efectuar todas las transferencias de personal, cambios de puestos, despidos y admisiones que tengan que ver con puestos gerenciales.

Revisar y autorizar todas las transferencias, despidos, admisiones e indemnizaciones del personal en toda la empresa.

Trabajar estrechamente con los gerentes de personal de las otras divisiones de la empresa y con el gerente de personal (asesor) para asegurar que las normas de personal y los programas de la compañía sean cumplidos de manera eficiente y llevados a ejecución en forma justa, equitativa y uniforme.

Autoridad:

Actuar sólo después de recibir aprobación.

Actuación normal:

Cuando todos los trabajadores en puestos gerenciales tengan su propia "descripción de trabajo" y correspondiente "actuación normal", antes de septiembre 30.

Cuando todo cambio, transferencia, admisión o despido se haya procesado y efectuado en la semana que se solicitó.

REQUISITOS PARA EL PUESTO DE GERENTE DE PERSONAL PARA EL DEPARTAMENTO DE VENTAS AL POR MAYOR

Experiencia previa:

Deberá ser bien experimentado en las operaciones primordiales del Departamento de ventas al por mayor de la compañía. Deberá tener habilidad probada como ejecutivo y administrador. Deberá conocer a fondo el campo de manejo de personal, su administración y tener experiencia como dirigente; buen conocimiento de la terminología, las corrientes particulares del área de mayoreo y su interpretación. Deberá ser capaz de enseñar estos conceptos. Preferiblemente deberá tener un grado universitario o su equivalente.

Características personales:

Personalidad lógica, reflexiva, buen observador, capacidad de expresarse bien verbalmente y por escrito, capacidad para dirigir grupos, paciencia, buen sentido del humor, capacidad de vender intangibles. Deberá ser capaz de ganarse la aceptación de parte de otras personas; tener la motivación y el deseo de ayudar a resolver los problemas de las demás personas. Deberá mostrar convicciones, principios y normas de conducta firmes; ideales definidos y a la vez tener sus pies plantados en la tierra firmemente, ser objetivo.

EDAD: de 35 a 45 años, (casado).

DELEGANDO

Como parte del proceso de "organización", el cual tiene que ver con colocar hombres y mujeres dentro de la estructura para el logro de los objetivos, es conveniente apreciar la importancia que tiene el concepto de "delegación" en la dinámica administrativa.

Luego de hacer las "descripciones de trabajo" para todos y cada uno de los participantes en un determinado proyecto, después de un tiempo descubrirá la necesidad de aumentar las responsabilidades a su personal. Las tareas que el administrador ha estado haciendo por sí mismo, pueden ser transferidas mediante un proceso técnico y racional a algunos de sus subordinados. Este proceso de transferir responsabilidades, y la consecuente autoridad se llama delegar.

Debe mencionarse con énfasis que delegar no consiste en encargar tareas en forma desordenada a otras personas alrededor del administrador. Esto quizás es necesario en ciertas ocasiones, pero no deberá ser confundido con el proceso técnico de delegación.

El proceso de delegación cuando es usado en su debida forma producirá necesariamente una medida de responsabilidad para el trabajo delegado. Hasta que este efecto no se haya logrado, la verdadera delegación no se ha llevado a cabo.

DEFINICION

"Delegación es el proceso sobre la marcha, por medio del cual el administrador asigna responsabilidades y autoridad adicionales a sus subordinados".

ILUSTRACION No. 10

HOJA DE TRABAJO PARA ORGANIZAR
SELECCION DE PERSONAL PARA LAS FUNCIONES

Personal			
Nombre	Puntos fuertes	Debilidades	Colocación en el grupo al que se puede asignar

Puede agregarse en nuestra definición que esta responsabilidad y autoridad es asignada en tal forma que produce necesariamente un grado creciente de responsabilidad en el subordinado.

En la Escritura tenemos un ejemplo muy específico de delegación en la vida de Moisés mientras conducía a los israelitas en el desierto después de haber cruzado el mar Rojo. Moisés estaba verdaderamente asediado por sus compatriotas desde temprano en la mañana hasta muy tarde en la noche, resolviendo todo tipo de problemas. Como él era el "administrador" o líder, lo buscaban para que tomara decisiones que resolviesen sus innumerables necesidades.

Cuando se considera el número total de personas que Moisés tenía que dirigir, el cual era de más de dos millones, es fácil darse cuenta de por qué Moisés tenía ante sí un problema enorme y de hecho se pasaba el día entero en reuniones con la gente.

El suegro de Moisés lo observó y le dijo que de continuar así fracasaría él en su función de dirigir a la gente y desanimaría a todo el pueblo. La sugerencia de Jetro fue la de colocar personas encargadas para cada mil personas, luego encargados de cada cien, luego de cincuenta y luego de diez. Pero vemos que esta división por sí sola no resolvió aquella necesidad. Nos damos cuenta de ello en Números 11:11. Moisés todavía se sentía responsable de toda la gente, aunque habían sido nombrados algunos ayudantes. La carga había llegado a ser tan pesada que Moisés le pedía a Dios que mejor le quitara la vida para no continuar en esas circunstancias agobiantes (Números 11:15).

Sin embargo, Dios le dio una solución mejor: Le pidió que escogiera setenta hombres para ser ungidos por el Espíritu Santo para que pudieran llevar no sólo una tarea, sino la carga, la responsabilidad de la gente junto con Moisés y aliviarle así de esa situación (Números 11:17).

Fue cuando estos hombres empezaron a compartir realmente las responsabilidades de Moisés que él fue capaz de dirigir al pueblo en forma eficaz a través del desierto.

Así pues, debemos enfatizar que la delegación no habrá sido realizada a menos que los individuos a los cuales se les delega la responsabilidad y autoridad, sientan la responsabilidad personal de las tareas que les han sido dadas.

¿POR QUE DELEGAR?

1. Si usted no delega:
   a. El trabajo probablemente va a convertirse en una carga demasiado pesada para usted. Esto es especialmente cierto en las organizaciones que se encuentran creciendo.
   b. Tendrá la tendencia de llevar la carga sobre sus propios hombros solo, en tanto que otros estarán esperando la oportunidad de ayudarle sin poder hacerlo.
   c. Su personal se volverá apático y letárgico en su trabajo. La falta de delegación no estimula, no desafía no desarrolla a los hombres.
2. Si usted delega obtiene los siguientes beneficios:
   a. Personalmente se beneficiará al tener la ayuda de otras personas sobrellevando cargas y responsabilidades, haciendo su labor más efectiva.
   b. Su gente desarrollará mayor confianza y capacidad conforme va tomando nuevas responsabilidades.
   c. La organización crecerá; la medida total del trabajo aumentará y la capacidad de su grupo mejorará.

PRINCIPIOS DEL PROCESO DE DELEGAR

1. El aspecto más importante al delegar es la actitud del administrador. La habilidad de motivar a las personas a las cuales piensa usted dar nuevas responsabilidades y autoridad determinará en gran manera el éxito o el fracaso.
   Una actitud positiva y de motivación es fundamental. Si usted está convencido de la ''enorme cantidad de errores'' que sus subordinados cometen, estos lo percibirán inmediatamente. Necesita comunicarle a sus colaboradores la importancia del trabajo que estará asignándoles y la forma en que se relaciona con los objetivos y metas de la organización. Deberá comunicarles su total disposición de ayudarles para resolver cualquier duda o problema que pueda surgir posteriormente. Esta actitud positiva de parte suya y la adecuada forma de comunicarla, tendrán una influencia fundamental en la voluntad del subordinado para desear tomar estas nuevas responsabilidades.

¿Qué niño de corta edad aprendería a caminar, si cada vez que se cayera se le diera una paliza? ¿Qué persona se sentiría motivada a crecer y asumir nuevas responsabilidades si percibe de sus administradores una actitud de recriminación por cada error que comete? En resumen, la motivación deberá ser una parte vital en el proceso de delegación.

2. Sea realista y conozca el desarrollo de cada uno de sus subordinados; delegue la medida correcta de nuevas responsabilidades y la necesaria autoridad a la vez.

Recuerde que existe un momento óptimo en la vida de cada persona en la cual estará dispuesta a tomar nuevas responsabilidades. Si no puede identificar ese gran momento en la vida de sus colaboradores, puede resultar en la innecesaria frustración suya y de ellos, ya sea por recibir demasiado trabajo prematuramente o por recibir muy poco demasiado tarde.

Respecto de esto es de gran ayuda el tener conversaciones informales con su personal para conocer las disposiciones conscientes y subconscientes de sus hombres. De esta manera también se logra un grado de identificación y de calor humano.

Estas reuniones y charlas informales, que se logran mediante actividades sociales, muchas veces sirven para explorar la posibilidad de delegar responsabilidades.

TIEMPO

1. El delegar requiere apartar el tiempo necesario de parte del administrador. (Véase ilustración # 11, página 88.)

El asignar una nueva responsabilidad a un subordinado, es sólo el principio del proceso de delegación. Usted deberá ser consciente de que habrá que hacer una *inversión* de tiempo para lograr resultados. En realidad la parte más difícil para el administrador al delegar, es el estar dispuesto a observar al subordinado haciendo una serie de cosas que él podría hacer mejor y más rápidamente. Recuerde que usted está *invirtiendo tiempo* en un proyecto de desarrollo a largo plazo. Los frutos más excelentes de la delegación se verán más bien a largo plazo que de inmediato.

También facilitan la tarea, los adecuados sistemas de control administrativo del administrador. Estos sistemas de verificación y control ayudarán a conocer el progreso en las áreas delegadas. Mediante ellos es posible mantener una actitud positiva hacia la medida natural de errores que habrán de cometer los subordinados cuando empiezan con sus nuevas tareas y también provee la información que se necesita para intervenir en el momento oportuno y evitar un desastre.

El tener abundante información dará mucha confianza al administrador y le animará a delegar más responsabilidades a más personas.

2. Sea consciente de cualquier acción de su parte que tienda a contradecir o a minar, en vez de reforzar las áreas recién delegadas.

Recuerde que todos los seres humanos somos criaturas basadas en costumbres y hábitos. Esto le incluye a usted en su funcionamiento como administrador. Algunos de estos hábitos del pasado pueden ser desastrosos en el proceso de delegación. Por ello queremos advertirle que cuide las siguientes actitudes, para evitarlas:

a. No procure tomar todas las decisiones grandes e importantes por usted mismo.

b. Nunca dé tareas para ser hechas sin dar juntamente la necesaria autoridad.

c. Jamás retire un problema de las manos de su subordinado para resolverlo usted mismo. Muchas veces la gente se acercará a usted para preguntarle sobre alguna duda únicamente.

d. No usurpe la posición de un subordinado, dando instrucciones a las personas que se encuentran bajo la autoridad de él.

e. Provea la información necesaria al subordinado para que pueda tomar las decisiones en sus áreas de responsabilidad.

f. Dé facilidad mediante la provisión de elementos metodológicos y técnicos para el trabajo de sus hombres.

g. Nunca dé contraorden respecto de las decisiones tomadas por aquellos a quienes ha delegado responsabilidades.

Recuerde finalmente que el delegar responsabilidades sólo es real cuando se lleva a la práctica dentro de estas condiciones y deja de existir cuando no se puede ejercitar libremente.

Adicionalmente citaremos un beneficio extraordinario en el sentido de que mediante el delegar se estará ayudando a formar *nuevos administradores* capaces de sobrellevar crecientes responsabilidades.

COMO DELEGAR

1. Este es el momento en el cual usted, como administrador, determina qué es lo que quiere delegar y a quién. Hay tres pasos para poder llegar a esta decisión.

   a. Actividades. Determine qué actividades pueden ser delegadas.

   1) Enumere todas las actividades que se le han asignado. Use su propia descripción de trabajo y su plan anual, como recursos para obtener información.

   2) Establezca el rango de las actividades, anotando la prioridad de cada una de ellas. Aquí deberá usted ejercer su criterio para establecer la importancia de cada tarea.

   3) Estime el tiempo necesario para realizar cada actividad. Piense en términos de horas, días, meses. Lo que sea mejor para la actividad en particular.

   4) Empiece con las actividades de prioridad inferior, las que consumen más tiempo, y pregúntese: ¿Es esto algo que sólo yo puedo hacer? Si no es así, esta actividad es potencialmente delegable. Así, usted podrá anotar en la lista, su primera actividad para ser delegada.

   b. Personal. Determine en quiénes deberá usted delegar. (Véase ilustración # 12, página 89.)

   1) Enumere el personal disponible.

   2) Brevemente, anote los puntos débiles y fuertes de cada uno.

   3) En forma resumida, establezca el grado de desarrollo de cada persona. Por ejemplo, ¿cuál es el potencial a

largo plazo de aquella persona dentro de la organización? ¿Para qué deberá ser adiestrada en el futuro?

c. Combine las actividades con el personal. (Véase ilustración # 13, página 90.)

1) Comience con la primera actividad delegada, y anote dicha actividad junto a la persona que tiene el mejor "punto fuerte" o habilidad para realizar aquella actividad. Al asignar en esta forma, es decir en los puntos fuertes del subordinado, refuerza la motivación del trabajador y le da mayor confianza para tomar más responsabilidades en el futuro. Conforme pasa el tiempo quizás usted pueda tratar de desarrollar los "puntos débiles", pero siempre comience delegando en el "punto fuerte".

2) Decida qué clase de autoridad es necesaria para cada una de las actividades: actuar, actuar e informar o actuar sólo con aprobación.

3) Decida cómo y cuándo supervisar. Este es un punto muy importante. Si se ignora, la delegación, se convierte en abdicación. Deberá haber reuniones específicas dentro de su agenda para reunirse con aquellas personas para supervisar su progreso.

4) Determine qué capacitación o adiestramiento especializado, necesitará el personal antes de asignársele una nueva actividad por delegación. Muy raramente se encontrará a un individuo totalmente preparado para sobrellevar una nueva responsabilidad, sin recibir previamente algún tipo de orientación o adiestramiento.

COMUNICACION

2. Un tiempo específico deberá ser predeterminado para iniciar la actividad delegada. En este momento usted deberá comunicar a la persona a la cual está delegando lo siguiente:

a. Una explicación concisa de la actividad que le estará siendo delegada.

b. La extensión y clase de autoridad con que actuará.

c. La confianza que usted tiene en él y el respaldo que le

ILUSTRACION No. 11

HOJA DE TRABAJO PARA ORGANIZAR
(DELEGAR)

Actividades generales del administrador	Prioridad (no. de orden)	Tiempo estimado para realizarla	Actividades delegables (de menor importancia y que consumen más tiempo)

ILUSTRACION No. 12

PERSONAL DISPONIBLE PARA DELEGARLE ACTIVIDADES

Nombre	Puntos Fuertes	Debilidades	Habilidades	
			Experiencia pasada	Potencial futuro

ILUSTRACION No. 13

Delegando:

Nombre	Actividad asignada	Autoridad	Ejecución		Adiestramiento necesario
			Cómo	Cuándo	

dará del momento en que le asigne la responsabilidad, hasta el momento en que esté perfectamente establecido en su nueva experiencia.

d. Una visión de la importancia de lo que le está pidiendo hacer y el papel que juega dicha actividad en la organización, a la luz de las metas.

e. Explicación de cómo le preparará usted para su nueva responsabilidad, y la frecuencia y sistema que seguirá para supervisarle en el futuro cercano.

OBSERVACION

3. Este es el tiempo durante el cual la persona a la que usted ha delegado, empieza a tomar sus nuevas responsabilidades. Es imperativo que mediante el sistema de control, usted esté al tanto de los resultados de los esfuerzos de aquella persona. Es importante igualmente, que desarrolle una habilidad de "entrenador", más bien que de ejecutivo. La tentación suya será la de irrumpir y resolver los problemas que surjan.

Pero usted deberá continuar pensando en su papel de un "entrenador", más bien que en el ejecutivo o protagonista.

Permita el clima necesario para que aquella persona se desarrolle. Sus sesiones o entrevistas de seguimiento y supervisión deberán ser frecuentes e informales. Durante estas reuniones, deberá guiar a la persona para arribar a conclusiones sobre su trabajo. Empiece con los éxitos que está teniendo y no ignore las áreas problemáticas. La persona deberá reconocer ambas áreas y deberá sugerir cómo piensa corregir los problemas.

En resumen, la delegación es el proceso dinámico-organizacional, que trata de desarrollar a los individuos, e incrementar la eficacia de sus esfuerzos como administrador.

Capítulo 7

DIRIGIENDO

Dirigir es la labor del administrador para asegurar que las personas tomen una acción efectiva, para el logro de los objetivos.

Una vez que ha planificado y ha estructurado a las personas en un esquema organizativo, deberá conducir a su personal, a su equipo entero a actuar: Usted debe dirigir.

Hay una serie de requisitos que deben estar presentes en un dirigente si espera lograr que la gente que lo rodea tome una acción efectiva. En el caso del administrador, es mucho más importante lo que él es, que lo que él hace.

La imagen consciente y subconsciente que sus empleados tengan de él, determinará la medida en que éstos podrán ser motivados para entrar en acción.

En primer lugar estudiaremos una serie de características que corresponden a los hombres de alto rendimiento en su función administrativa. Cualidades que siempre se encuentran presentes en un administrador de excelencia.

¿Por qué es que, comparativamente hablando, muy pocas personas rinden excepcionalmente bien y por un largo período? Sólo un raro grupo de científicos, un escaso número de vendedores, una pequeña fracción de ejecutivos, maestros, amas de casa y profesionales.

Sólo un pequeño porcentaje de las personas que trabajan en el mundo de los negocios, que asisten a las universidades, que se dedican al arte, que crían hijos, que invierten en la bolsa de valores, que trabajan en proyectos de la comunidad. Sólo unos pocos llegan cerca de su potencial.

¿Por qué? No crea que la solución está en preguntarle a la

gente de éxito. Existe una gran posibilidad de que ellos mismos no sepan por qué su rendimiento es extraordinario.

Lo más seguro es que saquen a relucir algunas respuestas comunes y de todos conocidas como talento, trabajo perseverancia, inteligencia, adiestramiento, educación, estudios, experiencia, buena suerte.

Todo esto tiene su lugar. Pero, ¿cómo podríamos resolver el problema de aquellas personas que tienen todo esto y sin embargo no logran escalar la cumbre de alto rendimiento?

En la última década, un grupo de destacados investigadores y científicos, así como de expertos en el campo de la administración y la antropología, han logrado aislar las diferencias o características de las personas que son óptimos dirigentes y cuyo rendimiento está por encima del de la mayoría. Se han seleccionado estas características, clasificado y procesado hasta terminar con *21 que pudieran llamarse características primarias de alto rendimiento.* Todos los administradores de alto, mediano y bajo rendimiento tienen esas características. La diferencia interesante es que los administradores de alto rendimiento las han desarrollado en un marcadísimo *alto grado.*

A continuación estaremos enumerando estas características. No importa en qué nivel de rendimiento se encuentre usted, lo importante es reconocer que los atributos pueden ya estar presentes en su actuación, siendo la diferencia únicamente de grado. Debemos enfatizar que el hombre de alto rendimiento es bastante consistente y definitivamente alto en cada una de estas áreas.

1. Auto estima, aprecio de sí mismo:

Este es el cimiento o la base del comportamiento de alto rendimiento. Usted se ve a sí mismo como una persona de gran valor, digno, capaz, e importante. Representa algo que es bueno, que es positivo. Sabe que puede realizar casi cualquier cosa que se proponga hacer.

Piensa también que merece el éxito. Debido a que las decisiones que toma y a que las acciones que emprende son bien encaminadas, merece ser bien recompensado.

Con vehemencia busca lo nuevo y lo desafiante. Usted sabe

93

que es capaz de modificar y controlar las condiciones que sin duda alguna le conducirán al éxito.

2. Responsabilidad:

Usted sabe que en muchas áreas de su vida se ha hecho "a pulso". Ha puesto en movimiento los eventos y circunstancias que eran necesarias para una cadena de éxitos, así como ha puesto en movimiento elementos que han traído en algunos momentos los errores. Cuando las cosas parezcan ir de maravilla o cuando las cosas parezcan ir de mal en peor, reconozca que se debe a usted.

Cuando el barco parezca estar bien dirigido o en ocasiones parezca estar a la deriva, siempre reconozca y acepte que usted es el primero y último responsable.

Debido a que se percibe a sí mismo como responsable de lo que ocurra, reflexione en lo que ha hecho y en lo que está haciendo, porque esto determinará invariablemente el éxito o el fracaso. Usted ha aprendido en gran medida de sus éxitos y de sus fracasos. De sus aciertos y sus desvaríos.

Ha aprendido a reforzar las razones de sus éxitos y a corregir las razones de sus fracasos.

3. Optimismo:

Conforme al grado de estima de sí mismo y de responsabilidad alcanza niveles óptimos, su expectación de que las cosas van a ser mejores mañana, crece en gran manera.

Ejerciendo su libre albedrío, escoge lo que deberá hacerse, y conforme se da cuenta de que es competente y digno, descubre todas las razones a favor de esperar que su futuro sea brillante, próspero, productivo, y satisfactorio.

Cada decisión que toma, cada acción que inicia, está impulsada por su conocimiento y respaldada por la experiencia de que resultará en el logro de metas que siempre ha deseado alcanzar. Utilice su tiempo y sus capacidades, a plenitud hoy, porque sabe ciertamente que es una inversión que producirá excelentes dividendos mañana. Es una siembra que producirá abundante cosecha.

4. Orientación hacia las metas:

Muchas personas se proponen metas, pero muy a menudo nunca las logran.

El administrador de alto rendimiento, utilizará sus metas de manera diferente. Lo que establece la diferencia es lo que usted haga después de haber establecido aquellas metas; la forma en que usted incorpora y utiliza las metas en su sistema es lo que cuenta.

Usted ha aprendido a mantener sus metas frente a su vista y en su mente. Ha aprendido a vivir con ellas tan intensa y continuamente que éstas motivan su vida y dirigen su conducta en forma consciente y subconsciente.

El administrador de alto rendimiento armoniza sus metas personales con las metas establecidas por los grupos, entidades y organizaciones en los cuales participa.

5. Imaginación:

Como un hábito, el administrador de alto rendimiento enfoca su imaginación en lo positivo. Crea imágenes constructivas hacia las cuales debe dirigirse. En ninguna manera está limitado a lo que ha hecho en el pasado. Sabe que es capaz de cualquier logro que se proponga. Con el trabajo de su mente puede experimentar nuevas y fructíferas situaciones para sí y para la organización aun antes de que las vea ocurrir.

Las personas tienen la tendencia de dirigirse hacia aquello que les es común. Por esta razón usted confía en su imaginación, piensa continuamente en todas aquellas cosas buenas que quiere para usted mismo, para sus semejantes, para sus colaboradores, para su organización. Piensa constantemente en nuevas habilidades para el trabajo, nuevas técnicas, en un carácter más radiante, más alegre, más jovial. Piensa en la salud, en la comprensión, la tolerancia y flexibilidad que hay que tener; en la armonía familiar, en el amor, en los grandes logros, las grandes recompensas, las grandes satisfacciones; en grandes proyectos de beneficio a la comunidad. El dirigente de alto rendimiento no tiene que estar batallando en ajustarse a los cambios, porque él es el que los está motivando.

6. Actitud alerta:

El dirigente absorbe más y más información de su medio. Es como una esponja que recibe, percibe, acumula, procesa y digiere todo aquello que está ocurriendo a su alrededor.

Debido a que sabe perfectamente hacia dónde se dirige, está siempre alerta a las "señales del camino". Es consciente de las oportunidades que pueden aparecer y que en alguna manera pueden contribuir al logro de sus metas.

Observa y hace uso de esas señales, claves, pistas y nuevas direcciones para su actividad privada, para su empresa, para su vida de hogar, para su recreación.

7. Creatividad:

Usted está convencido de que siempre hay una manera de hacer mejor todas las cosas. Esta actitud le mantiene investigando nuevas oportunidades, nuevos procedimientos, nuevos modos de hacer excelentes aquellos buenos sistemas.

Toda persona es creativa por naturaleza.

Todas las personas crean un cúmulo de ideas constantemente, pero el administrador de alto rendimiento ha aprendido a hacer que sus ideas fluyan más espontáneamente, más acertadamente, más constantemente. Menos restricciones e ideas preconcebidas. Se evitan los estancamientos, se da rienda suelta a nuevas imágenes mentales. Está siempre en actividad para que la "crema y nata" suba a la superficie. Allí es donde las nuevas ideas pueden ser usadas, capturadas y utilizadas.

8. Actitud comunicativa:

Usted sabe perfectamente que el éxito está fuertemente enraizado en su habilidad de transmitir imágenes mentales a otros y en entender lo que los demás están tratando de comunicarle.

Por lo tanto usted advierte que es su total y plena responsabilidad el asegurar que sus comunicaciones, sus imágenes mentales, sus mensajes lleguen al blanco.

Es indispensable y a la vez útil que se comprenda exactamente lo que la gente piensa; cómo perciben el mundo a su alrededor. Por esta razón usted se dedica a desarrollar sus habilidades de empatía. Las usa como una plataforma en todas sus comunicaciones.

9. Orientación hacia el crecimiento:

Usted sabe que es imposible el estar estancado o inmóvil en un mundo que cambia continuamente. Usted ha escogido crecer. En ninguna manera le interesa sino más bien repudia el solo pensamiento de estancarse en busca de un perenne descanso.

La actitud profesional del administrador de alto rendimiento, investiga con diligencia en cada campo buscando mejores y más rápidas maneras de crecimiento, de desarrollo.

Le da absoluta prioridad a la tarea de estar apercibido y listo para su futuro. Usted espera el crecimiento. Da la bienvenida a la oportunidad de cambiar los hábitos viejos y poco productivos por nuevos patrones de pensamiento altamente fructíferos.

10. Respuesta positiva hacia la presión:

Cuando la fecha límite se aproxima, cuando estalla una crisis familiar, cuando hay clamor por una decisión, cuando las presiones de todo tipo crecen violentamente, usted funciona mejor, está en su ambiente, rueda libremente, trabaja eficientemente.

Espera y anticipa las presiones y las crisis, por ello ha aprendido a usarlas más bien como un "disparador". Las usa para iniciar respuestas constructivas. Se ha programado a sí mismo para que pueda alcanzar la cúspide en esos momentos, en vez de desmoronarse, cuando las condiciones se tornan hostiles a su alrededor.

Recibe con actitud de bienvenida los tiempos de dificultad. Son oportunidades de ampliar su talento, habilidades y creatividad. Es la ocasión de poner a trabajar *todo* su potencial. Muy a menudo cuando las cosas parecen ir demasiado tranquilas, el administrador de alto rendimiento procura alborotar un poco las cosas, mover el bote, remover el agua. De hecho crea presión porque sabe ciertamente que así funciona mejor.

11. Confianza:

En cada área de su vida usted siente una atmósfera de confianza, tanto en su hogar como en su trabajo y en su vida social. Sabe que las personas en ninguna manera buscan deliberadamente quedar mal. Así que con toda confianza "pasa la pelota" a otros miembros de su equipo. Confía plenamente en que aquella persona actuará con toda responsabilidad.

Este sentimiento de confianza provee a su comunicación con los demás un clima de sinceridad, de franqueza, de apertura que establece el tono para la verdadera cooperación en todas sus relaciones.

12. Gozo:

Usted realmente goza, y disfruta todo lo que hace. Se siente complacido cuando está en el trabajo, cuando se relaciona con otras personas, cuando se comunica, cuando alcanza los logros. Disfruta sus actividades y a las personas que trabajan con usted. Su energía es influyente. Usted es una persona radiante. Irradia optimismo. Otros se motivan conforme realizan sus actividades y las hacen con más gozo, mejoran el ambiente total que les rodea. Está orgulloso de sus contribuciones tanto a sus metas personales como a las metas de su organización.

13. Disposición a correr riesgos:

La vida no está hecha de garantías. Debido a que se siente a gusto y ha aprendido a vivir frente al hecho de que toda actividad involucra un determinado grado de probabilidades, a favor y en contra, usted está listo y dispuesto a lanzarse, a extenderse y consecuentemente a correr riesgos razonables.

Su objetivo es la excelencia, no la perfección.

Cuando empieza un nuevo proyecto, cuando lanza un nuevo producto, cuando inicia un nuevo programa o diversifica sus actividades, usted sopesa las probables ganancias con las probables pérdidas. Toma su decisión y actúa.

14. Prontitud:

Conforme todas sus características de alto rendimiento alcanzan sus máximos indicadores, usted empieza a percibir una nueva sensación de prontitud, de la urgencia de la obra que realiza.

Usted toma decisiones hoy. Inicia sus acciones *ahora mismo*. No porque tenga que hacerlo, sino porque *desea* hacerlo. Realmente lo disfruta; le produce un continuo entusiasmo. Respira un aire de intensidad, de urgencia.

A su vez refleja un sentido de capacidad, de fortaleza, de movimiento, de logro, de entusiasmo, de un entusiasmo influyente.

Nunca vacile. Recuerde que es siempre preferible escoger una alternativa y aplicar su energía a ella, que consumir sus energías en la incertidumbre, en la indecisión. Muchas veces una "mala alternativa" es convertida en un gran logro, mediante la aplicación de trabajo y energía a ella.

15. Sentido de dirección:

Esto quiere decir que además de tener los objetivos precisos en su mente tiene un sentido de movimiento, de orientación, una dinámica que le impulsa a alcanzar esos objetivos.

Esto responde las inquietantes preguntas: ¿qué es lo que usted quiere? Así como, ¿hacia dónde se dirige? En realidad, estas dos preguntas deben ser respondidas en armonía pues la dirección en que nos movemos debe apuntar siempre hacia lo que queremos.

16. Capacidad de persuasión:

El administrador debe ser capaz de convencer a otros de que le acompañen a ese destino, a las metas que se ha trazado. La capacidad de persuasión y el sentido de dirección son los que determinan la eficiencia del líder: Su orientación hacia los objetivos y su capacidad de motivar a las demás personas.

Un administrador deberá siempre contar con un equipo de gente, con hombres que él esté formando y dirigiendo hacia el logro de las metas.

No podremos concebir a un líder, a un administrador, sin gente, sin personas con los que esté trabajando.

Así pues no es suficiente que el líder desee hacer muchas cosas y ver grandes logros. Para ser un verdadero administrador tiene que vivir lo que nos dice la Escritura en 1 Tesalonicenses: 2:8:

"Tan grande es nuestro afecto por vosotros, que hubiéramos querido entregaros no sólo el evangelio de Dios, sino también nuestras propias vidas; porque habéis llegado a sernos muy queridos".

Aquí se realza el hecho de que el líder tendrá que tratar con conceptos y con personas. En este pasaje, Pablo no está interesado sólo en las ideas, los objetivos y en las mentes de los individuos, sino que está plenamente interesado en ellos como personas. Este es el equilibrio que debe existir en el liderazgo.

17. Convicciones personales profundas:

Las personas que meramente tienen "creencias" no son las que van a transformar el mundo en que vivimos. Es necesario que el líder tenga profundas convicciones sobre su llamamiento, sobre lo que Dios quiere que haga.

Hay algunos elementos que pueden ayudar a la profundización de nuestras convicciones:

a. Permitir que Dios corrija el curso de nuestra vida.

En el caso de Saulo de Tarso, vemos que sus convicciones cambiaron mediante el encuentro que tuvo con el Señor Jesucristo en el camino hacia Damasco. Este encuentro trajo un sentido de corrección al curso de su vida. En otra oportunidad cuando el Señor estaba hablando de la muerte con que iba a morir, le dice a Pedro: "Sígueme". Pedro responde: "Señor, ¿y qué de éste?" refiriéndose a Juan. Jesús le dijo: "Si quiero que él quede hasta que yo venga, ¿qué a ti? Sígueme tú" (Juan 21:19, 21, 22). Esta es una indicación de corrección directa en el curso de una vida. El permitir que Dios obre en nuestras vidas corrigiendo y enderezando aquellas áreas que precisan cambios. Esto trae profundas convicciones personales. En Proverbios 3:5, 6 dice: "Fíate de Jehová de todo tu corazón, y no te apoyes en tu propia prudencia. . .". La enseñanza aquí es que nosotros debemos reconocer a Dios en todos nuestros caminos para que él dirija y corrija nuestra vida.

b. Tiempo consistente en la oración.

La oración es trabajo. Esto no es una alternativa sino una

100

necesidad para el líder. Generalmente donde fallamos con más regularidad es en el área de la oración. Hay mucho actuar, mucho decir, mucho activismo en nuestra vida. Nos hace falta escuchar más al Señor en nuestro tiempo de meditación en oración para que así podamos estar atentos a lo que Dios tiene que decirnos; para poder interceder más adecuadamente por otros, para poder entender y comprender cuál es el propósito de Dios en nuestra vida.

En 2 Crónicas 7:14, hay un precioso pasaje que habla sobre la importancia de la oración aun para transformar naciones enteras:

"Si se humillare mi pueblo, sobre el cual mi nombre es invocado, y oraren, y buscaren mi rostro, y se convirtieren de sus malos caminos; entonces yo oiré desde los cielos, y perdonaré sus pecados, y sanaré su tierra".

Finalmente, en Romanos 14:5 encontramos una declaración muy importante: "Cada uno esté plenamente convencido en su propia mente". Las Escrituras nos amonestan a estar perfectamente convencidos en nuestra propia mente y tener convicciones profundas. Es Dios quien nos va a llevar a esta convicción plena en nuestra propia mente, mediante la corrección que él hace en el curso de nuestras vidas en nuestro tiempo de oración y reflexión en su Palabra.

18. Una agenda personal rigurosa:

Es mucho más fácil dirigir una organización que dirigirse uno mismo y administrar el tiempo en forma eficiente.

Somos prontos a juzgar duramente a alguien que cae en excesos del beber y del comer. Pero, ¿qué diremos de la persona que pretende ser un administrador y no puede controlar su propio tiempo? No se trata de tener una disciplina por tenerla, sino que deberá expresar los objetivos y metas del administrador.

Estúdiese usted mismo. Sea un maestro conocedor de sí mismo. La conquista más difícil es la de uno mismo.

19. Esté dispuesto a decir "no":

El líder debe estar dispuesto a subordinar todos los aspectos de su vida de manera que se establezcan las metas y objetivos como prioridades. En ninguna manera el administrador puede darse el lujo de hacerlo todo; aun cosas buenas. Muchas veces la diferencia entre una persona que alcanza el éxito y una que fracasa es que el primero ha aprendido a decir "no" a una serie de cosas positivas, pero que no contribuyen al logro de sus metas.

El apóstol Pablo dijo: "Pero una cosa hago. . ." (Filipenses 3:13).

Es interesante notar que Pablo hizo esta declaración ya al final de su vida. Hay muchos que aspiran al liderazgo pero no están dispuestos a pagar el precio. Debemos advertir aquí que no estamos hablando de sacrificar valores morales, ni de utilizar a las personas indebidamente para el logro de las metas. Uno de los ejemplos más extraordinarios es el que nos da el mismo Señor Jesucristo. Ya en su hora última, en la cruz, pudo decir: "Consumado es". Eso significaba que había logrado la realización de su plan, había alcanzado la meta.

Al mismo tiempo fue sensible al reconocer que su madre estaba sola y encargó a Juan su cuidado. No hubo conflicto entre las responsabilidades morales y las metas. El buen administrador debe saber entender ambas cosas.

20. Esté dispuesto a tomar decisiones firmes:

Un famoso empresario medía la capacidad de un ejecutivo por su habilidad de amonestar y aun despedir a otros. El saber tratar las situaciones difíciles y conflictivas es lo que establece la diferencia entre el niño y el adulto en el campo administrativo.

El líder debe ser un hombre de voluntad dinámica, robusta, para cuando se le presente este tipo de situaciones. Esta característica es sumamente importante para el futuro de su grupo u organización. Reconoce el momento en que deben tomarse las decisiones cruciales, con presteza y sin aplazamientos ni vacilaciones. Sabe identificar adecuadamente el momento, después de haber obtenido toda la información necesaria. Reconoce que por el bien suyo y el de sus asociados, le conviene actuar con firmeza después de haber oído a las partes involucradas con una actitud objetiva.

Muchas veces habrán de tomarse decisiones drásticas aun cuando se tema perder imagen y prestigio. Son las metas y los objetivos y no los sentimientos, los personalismos, los prejuicios, ni las actitudes de excesiva o innecesaria rudeza los que determinan la validez y el momento de las decisiones importantes que el administrador debe tomar.

La Biblia, la Palabra de Dios, nos habla siempre en imperativo. Los hombres de Dios fueron siempre hombres robustos en su voluntad. La dirección del Espíritu Santo en la vida de los escritores de la Biblia y en los grandes hombres de Dios fue definida y firme.

Nuestro Señor Jesucristo supo tomar la decisión de la cruz con gallardía y firmeza. Sus instrucciones para con sus discípulos fueron directas y no vacilantes. La Palabra de Dios es una fuente de este tipo de direcciones firmes y que muestran la voluntad robusta de nuestro Dios. "Andad en el Espíritu", "Haced discípulos", etc.

21. Un sentido de misión y destino:

Esto lo vemos en todas las actividades humanas. Nadie va a seguir a una persona que se siente insignificante, que no sabe a dónde va ni cuáles son sus metas en la vida. Es importante que el administrador reconozca la proyección positiva de sus acciones en el mundo que lo rodea, la diferencia que establece su presencia y la actuación suya y de sus hombres.

Debe tener una visión clara de la forma en que el mundo va a ser reconstruido, modelado, modificado mediante las acciones que emprende.

LA COMUNICACION EN LA DIRECCION:

La comunicación es una parte vital de la dirección administrativa. El administrador continuamente estará frente a otras personas con el propósito de impartir instrucciones, comunicarles determinados mensajes, y principalmente transferir imágenes de su mente a la mente de sus empleados.

La misma naturaleza de la administración requiere que el

primer paso sea el de reflexión. Si administrar significa el lograr que otras personas hagan determinadas cosas, el administrador debe conocer qué es lo que desea que los demás hagan. Esto requiere cierta habilidad mental; la capacidad de desarrollar imágenes mentales claras, concisas de lo que se desea ver logrado.

El desarrollo de estas imágenes mentales sobre la acción que debe realizarse con la participación de otras personas, será fortalecida mediante la conversación y el diálogo con los demás asociados al plan. Una de las más grandes tragedias de la administración moderna es que no se piensa lo suficiente y la segunda gran tragedia es que no se habla lo suficiente. No se comunican las imágenes entre el administrador y sus asociados. Ya no se requiere hoy día el administrador tipo místico, de pocas palabras, pues su eficacia ha sido cuestionada grandemente.

El administrador debe estar dispuesto a dedicar horas y días consigo mismo, pensando sobre determinadas acciones que habrán de ser emprendidas. Deberá leer todo el material disponible que exista sobre ese tema, deberá estudiarlo profundamente. Deberá darse él mismo la oportunidad de pensar en la mejor manera e ininterrumpidamente, buscando la excelencia en este proceso de reflexión. Así, podrá estar preparado para ofrecer el más excelente curso de acción y las más adecuadas soluciones.

Conforme el administrador comparte el producto de sus reflexiones con sus asociados, que no conocen el tema, será confrontado con preguntas y aclaraciones. Esto ayudará su propio proceso de pensamiento, ya que al tener que responder preguntas, ahondará en el significado de sus imágenes mentales. En su debido momento, el administrador puede escoger reunirse con un especialista en el tema o materia con el que pueda intercambiar puntos cruciales o dudosos. El especialista hará contribuciones valiosísimas al proceso de pensamiento. De esta manera habrá obtenido el complemento necesario a su proceso de reflexión personal.

El expresar, el comunicar la imagen mental de determinada acción que deberá emprenderse, particularmente a aquellos que van a tomar parte en la acción, produce una alta medida de motivación. Ocurre que aquellos que participan de esta comunicación de las imágenes mentales del administrador, se sienten como parte misma del proceso de pensamiento y al final se sentirán comprometidos a participar en la mejor manera.

El proceso de comunicación hace necesario que los administradores dediquen considerables porciones de tiempo para reflexionar sobre el proceso administrativo y cómo ponerlo en práctica. Debemos estar continuamente reexaminando, reafirmando, modificando y comunicando los conceptos básicos que sustentan nuestra empresa u organización.

Debe quedar muy claro que el administrador necesita tener la profunda convicción de que está llamado a reflexionar, de que deberá pensar y aún consultar sus pensamientos con especialistas y con otros administradores.

Deberá tener la convicción de que se hace necesario que *comunique* sus imágenes mentales a sus asociados para que puedan ser eficaces en la consecución de las metas.

Algunas personas tienden a pensar que la comunicación es una especialidad de la administración y muchas veces creen que un aspecto en particular, tal como las ayudas audiovisuales, las entrevistas informales o las conferencias son la respuesta a la necesidad de comunicación. Este tipo de comunicación especializada es realmente una actividad separada del resto del proceso administrativo y por lo mismo puede parecer nuevo o como que no ha sido usado extensa y adecuadamente.

Sin embargo, debemos decir que en el más puro sentido, la comunicación es el proceso mediante el cual una persona da a conocer sus pensamientos, esperanzas, deseos, planes y conocimientos a otra u otras personas. Es el principal medio por el cual se influye a los demás. Este tipo de comunicación se ha llevado a cabo desde el principio del tiempo. En cierto modo estamos aprendiendo más y mejores métodos para comunicarnos, pero en sí no es una actividad nueva.

En la comunicación en "un solo sentido" o "de una vía" se requiere únicamente la habilidad para que las demás personas nos comprendan. En la comunicación en "dos sentidos" se requiere una segunda habilidad; aquélla que hará posible que comprendamos lo que nos quieren decir las demás personas.

Sólo cuando existe una participación activa en el proceso de comunicación, podemos esperar que algo nuevo sea creado como producto de ese intercambio. Así pues, las partes involucradas deben contribuir al proceso de pensamiento y comprensión para que exista comunicación a todo nivel.

En el caso de la administración, la comunicación es el medio mediante el cual se logra llevar a cabo el proceso administrativo.

Sin la comunicación el ejecutivo es tan ineficaz como un violinista sin su instrumento. La comunicación es el instrumento de la administración. Es la habilidad por excelencia del administrador, y a la vez es esencial en todas y cada una de las funciones administrativas.

El 12 de mayo de 1954 la Prensa Asociada dio a conocer la siguiente noticia desde Washington: "El presidente Eisenhower ha ofrecido hoy una definición del significado de liderazgo: Es el arte de lograr que una persona haga lo que usted desea, porque ella misma desea hacerlo".

La función del ejecutivo es decidir qué es lo que se desea realizar; necesita dar a conocer con anticipación las condiciones futuras bajo las cuales las metas serán alcanzadas; deberá elaborar planes que aseguren el logro de esas metas bajo las condiciones citadas en su predicción inicial; debe proveer el elemento humano necesario para construir una organización adecuada; luego deberá dirigir constantemente a ese grupo de personas en la dirección que él desea que se movilicen. El trabajo es lograr que ocurran las cosas que a no ser por su liderazgo e intervención, jamás ocurrirían.

Luego que ha determinado las metas, que ha hecho predicciones y planes específicos, y después que ha colocado a hombres y mujeres en su organización, no puede esperar que ocurran las cosas si no se comunica con sus empleados. El grado en el que ocurran las cosas en relación con sus objetivos, depende totalmente de la claridad de sus propias imágenes mentales sobre los resultados deseados y de su habilidad de transferir esas imágenes a la mente de los demás. Esto significa que no sólo deberá comunicar el contenido de su mensaje sino que deberá ser capaz de conducir junto con él un espíritu definido que refleje una actitud y disposición de su parte. Esto tiene que ver tanto con las comunicaciones formales como con las informales. En aquellas organizaciones donde esta clase de comunicación ha sido establecida, se logrará a su debido tiempo, una comprensión casi intuitiva entre unas y otras partes.

Por comunicación, deberemos entender *una atmósfera* específica. No es algo sobre lo cual uno pueda poner sus manos. En la ausencia de una atmósfera favorable a las comunicaciones, como la que hemos descrito, los malos entendidos florecerán como por encanto, y junto con ellos arrastrarán ineficiencia, fricciones y fracasos.

Desafortunadamente, no existe ningún patrón rígido o norma que pueda ser ofrecida para crear este tipo de atmósfera favorable a las comunicaciones.

Lo más que puedo recomendar es que el ejecutivo se de a la tarea de hablarle y escribirle a su gente cómo a él mismo le gustaría que le hablaran y le escribieran, en términos que expresen consideración, que reconozcan la inteligencia, el pensamiento y la capacidad de aquellos que serán responsables de llevar a cabo las órdenes. En ninguna manera debemos considerar la comunicación como un fin en sí misma. No es recomendable que extraigamos algunos aspectos especializados de la comunicación y nos concentremos en ello desproporcionándolo y destacándolo fuera de su perspectiva integral.

Debemos recordar que la comunicación es una herramienta valiosa y parte del mismo proceso administrativo; ayuda a realizar las actividades del administrador, y su razón de ser y el objetivo final es la administración eficaz.

En el caso de las entrevistas para lograr mejor comunicación, debemos recordar que consisten esencialmente en lograr que la otra persona hable y contribuya al conocimiento y reflexión del administrador. Es pues la habilidad de "lograr sacar" todo lo que hay en la mente de la otra persona para que las partes puedan ponerse de acuerdo. La comunicación a este nivel consiste en lograr finalmente una absoluta comprensión de lo que se tiene en mente.

Respecto de la comunicación en conferencias y juntas, no hay ningún secreto respecto de cómo lograr su eficacia. La regla más sencilla que existe es decidir cuál es la situación que se desea discutir, obtener la mejor solución al problema y luego asegurar mediante esa misma conferencia o junta, que esa respuesta o solución es mejor que la que se tenía cuando se empezó la reunión. Esto nos dará la seguridad de que la reunión en sí tuvo un propósito constructivo y ha logrado algo que vale la pena; por lo menos habrá contribuido al proceso de pensamiento de los que participaron.

La esencia de la comunicación es la participación. Esto hace necesario que todas las partes involucradas deban contribuir en alguna forma. En tanto que la naturaleza humana manifiesta una resistencia a aceptar las ideas de los demás, esa misma naturaleza humana se inclina rápidamente a aceptar cualquier idea que ha sido compartida en su origen. Toda persona puede contribuir al proceso de pensamiento de los demás aun si tan sólo afirma lo que se ha dicho. Eso en sí ya es participación. A lo que el administrador debe dedicar esfuerzo consciente y máxima atención es pues a este arte de lograr la participación en la comunicación.

Capítulo 8

SUPERVISION (control administrativo)

La primera semana de la realización de un nuevo plan siempre será un torbellino de actividades y los ojos de todo el mundo se hallarán puestos en el objetivo. El objetivo proveerá la visión y la motivación. Pero conforme el tiempo va pasando, la meta va perdiendo brillo y las actividades diarias, la rutina de día en día empieza a ocupar los pensamientos de los menos entusiastas. Muy pronto el objetivo se verá tan distante que ya se hace difícil ver si se está realizando cada día algún progreso hacia dicho objetivo. Es en este momento en que el "control administrativo" tiene su razón de ser.

El proceso administrativo es una dinámica integral. No hay una época separada para dirigir y otra para controlar. El administrador tendrá muchas veces que hacerlo simultáneamente conforme aparezcan las oportunidades y necesidades.

Podemos decir que controlar es la acción del administrador que asegura que las actividades se ajusten al plan.

El control le ayudará en el funcionamiento de su organización y asegurará la continuación del entusiasmo inicial así como el completo logro de las metas y objetivos.

El control administrativo eficaz comienza con una actitud en la mente del administrador. El diccionario define una actitud como "una disposición interna". Es pues esta disposición hacia la total ejecución del plan al punto de llevarlo a plena realidad, lo que se entiende como control. En el área de control administrativo, más que en cualquiera otra área de la administración, debemos reconocer que el uso mecánico de las técnicas y métodos, jamás producirán los resultados deseados.

El administrador deberá sentir en verdad la carga por realizar el objetivo y alcanzar las metas según se describen en el plan original.

Esto es ejemplificado muy claramente por el ejecutivo no experimentado que está recibiendo informe de todas las fases de la operación de su organización. Este en vez de investigar y dedicar tiempo para comparar los resultados a la luz de las metas establecidas para así hacer las correcciones necesarias, él mismo se involucra activamente en alguna de las fases del proyecto.

La actitud de averiguar cómo se está progresando, la disposición de sortear obstáculos, resolver problemas difíciles y desenredar nudos, son los factores necesarios de la supervisión.

La planificación y la supervisión se encuentran íntimamente unidas. Mientras más bien definido y más pensado sea un plan, mejor proveerá un sistema eficaz de control. Si usted ya ha identificado en su plan las actividades necesarias para la realización de los objetivos ya ha establecido las metas más altas, las metas intermedias u objetivos secundarios y ha preparado metas alternativas, esté seguro que estos producirán necesaria y naturalmente las "actuaciones normales" para cada trabajador y los elementos para un control adecuado.

Para comprender mejor el proceso de supervisión pasaremos a enumerar los pasos a seguir:

1. Elabore "actuaciones normales"
2. Evalúe los resultados
3. Haga correcciones

1. **¿Qué son las "actuaciones normales"?** (Véase el capítulo 6 – Organizando.)

Las "actuaciones normales" consisten esencialmente en un acuerdo entre el administrador y sus hombres sobre las condiciones tangibles y concretas que deberán existir cuando un trabajo es realizado en forma satisfactoria o normal, según las metas. Estas "actuaciones normales" surgirán en forma natural del calendario del plan. Si utilizan con eficacia y se definen con claridad, podrán servir *como un contrato* entre usted y su personal. En estos documentos se señalará lo que se espera de cada uno de los subordinados. Esto también tendrá un alto valor motivacional.

Es recomendable pedir que la persona subordinada tome la iniciativa y presente un anteproyecto de su propia actuación normal de trabajo. Luego se inicia el proceso de entrevistas personales y comunicación para conversar sobre lo que la persona ha desarrollado como anteproyecto. En este caso el administrador es el moderador de la discusión de manera que se pueda lograr que la actuación normal, pueda estimular al subordinado a desarrollar el máximo de su potencial manteniéndolo dentro del límite de sus capacidades.

Este prodecimiento de "estirar" lo que el subordinado mismo ha presentado aumentará su entusiasmo y dedicación para alcanzar las metas que se proponen delante de él.

Las "actuaciones normales" son diferentes de las "descripciones de trabajo" al dar detalles concretos y específicos sobre las condiciones que deberán existir para que un trabajo sea calificado satisfactorio.

La "descripción de trabajo" será más genérica, más amplia; la "actuación normal" deberá establecer fechas, actividades específicas, cantidades, cifras, sumas de dinero, condiciones cualitativas o cuantitativas para que un trabajo sea evaluado como satisfactorio.

En otras palabras deberá responder ampliamente las preguntas: ¿Qué? ¿Cómo? ¿Cuándo? ¿Cuántos? ¿En dónde? ¿A qué hora? ¿Qué día? y otras.

2. Evaluando los resultados

Hay diferencia entre estar preocupado acerca de los resultados y saber cuáles son los resultados. El Señor Jesucristo mostró gran interés por los resultados durante su tiempo en esta tierra.

"Después llamó a los doce y comenzó a enviarlos de dos en dos; y les dio autoridad sobre los espíritus inmundos . . . saliendo predicaban que los hombres se arrepintiesen . . . Entonces los apóstoles se juntaron con Jesús y le contaron todo lo que habían hecho y lo que habían enseñado" (Marcos 6:7, 12, 30).

Para poder tener un cuadro general de lo que está ocurriendo en su organización, usted deberá evaluar dos cosas:

A. El avance hacia el plan.

Para evaluar el progreso que se está obteniendo hacia el logro de las metas contenidas en el plan, deberán considerarse tres aspectos diferentes:

1) Determine qué es lo que usted quiere evaluar.

Identifique las áreas verdaderamente importantes en su plan, las cuales son cruciales para el éxito. Estas áreas pueden ser identificadas como áreas críticas o "yugulares" de su plan las cuales deberá verificar constantemente.

A menos que pueda identificar claramente cuáles son esas áreas críticas o yugulares, su tendencia será tratar de obtener mucha información sobre aspectos poco relevantes a la luz de las metas.

Para establecer cuáles son esas áreas críticas vitales en el logro de las metas, estudie cuidadosamente el calendario del plan y luego las "actuaciones normales" de sus trabajadores. Esto debe hacerse debido a que las personas tienen una tendencia de ocuparse únicamente de lo que ellos esperan que va a ser inspeccionado y no de lo que deben hacer a la luz del plan.

2) Determine con cuánta frecuencia va a evaluar cada área.

Usted encontrará que hay algunas áreas críticas que necesitarán una supervisión diaria. Por ejemplo, si está haciendo un edificio para oficinas, necesitará verificar cuántos metros de construcción se hacen cada día.

Sin embargo, hay otras áreas que pueden ser evaluadas semanal o mensualmente.

Esto le permitirá un período natural para anotar los datos importantes en un formato escrito o visible, que haga resaltar las áreas de cuidado.

3) Establezca qué métodos o combinación de métodos deben usarse para obtener la información que necesita.

El apóstol Pablo utilizó el método de visitas personales, cartas y también a otros discípulos para evaluar el progreso de las iglesias.

Recuerde que cada uno de los métodos que puedan usarse para reunir información tendrá sus lados fuertes y sus lados débiles. Por ello es imprescindible combinar más de un método para obtener información objetiva de lo que está ocurriendo.

La combinación de los métodos más adecuados para su empresa u organización facilitará la evaluación y supervisión de las áreas críticas.

Los métodos más comunes para evaluar resultados son los siguientes:

a. Información numérica o resumen estadístico.

Esta es una compilación de cifras o información cuantitativa para evaluar los resultados. Este es el mejor método para obtener información general de lo que ocurre en la empresa. El resumen estadístico proveerá el punto de comparación entre lo que se está haciendo y las cifras metas. También sirve para evaluar con precisión las "actuaciones normales" y las "descripciones de trabajo" y verificar si los subordinados se están conformando a ellas.

El aspecto débil del informe estadístico es que es inminentemente mecánico y no da ninguna información adicional sobre otras áreas importantes en el desarrollo hacia las metas o de las necesidades de la gente.

b. Informe descriptivo.

El objeto del informe descriptivo es explicar por escrito preferiblemente, sobre una situación o un evento en particular. Si el administrador descubre que hay áreas que no están produciendo lo que se esperaba, le será de gran ayuda obtener una declaración escrita o una narración explicativa por parte de la persona responsable que explique la situación y trate de establecer por qué lo esperado no se logró.

El informe descriptivo puede ser usado para comunicar rutinariamente las actividades de la semana anterior a los jefes inmediatos.

En algunas oportunidades, el informe descriptivo puede ser elaborado a partir de un patrón preestablecido en donde se señalen ciertas áreas a desarrollar, o bien puede dejarse enteramente al criterio del subordinado.

La limitación del informe descriptivo es que presentará necesariamente sólo los puntos de vista y experiencia del subordinado. En algunos momentos puede ser subjetivo y presentará la perspectiva que el trabajador tiene de sus propias realizaciones.

c. Observación personal.

El método de observación personal puede proveer valiosa información en el aspecto del entusiasmo, entrega y moral general de la plana mayor de trabajadores de una empresa. Esta observación personal se realiza por el administrador o por las personas a quienes él designe. El tiempo invertido para echar un vistazo a todas las situaciones de trabajo, será un complemento necesario para los demás métodos de obtener información. Esto proveerá un conocimiento de primera mano sobre los problemas, necesidades y oportunidades que los informes numéricos jamás podrían revelar.

La limitación de este método es que por supuesto es de carácter subjetivo, pues depende exclusivamente del juicio y criterio de quien haga la inspección personal.

Recordemos que será la combinación de los varios métodos lo que nos dará un cuadro objetivo y realista de lo que está ocurriendo y del progreso hacia las metas.

B. El desarrollo del personal:

Respecto de esto debemos mencionar aquí que una de las áreas más importantes para ser evaluadas es el desarrollo del personal a su cargo. Se recomienda que por lo menos cada 6 meses se realice una entrevista personal con cada uno de los empleados. Esta entrevista puede ser conducida por el jefe inmediato del trabajador.

En general, los objetivos de esta entrevista deberán ser:

1) Asegurar una atmósfera de comunicación y diálogo entre el empleado y los jefes inmediatos.

2) Encontrar lo que hay que hacer para desarrollar al empleado al máximo de su rendimiento.

3) Dar la necesaria asesoría y consejo, así como todas aquellas informaciones y orientaciones para el desarrollo de los empleados.

En algunas empresas se acostumbra tener una hoja de entrevistas o una tarjeta de evaluación, que se tiene a la vista siempre que se entrevisten a los empleados para estimularlos por su rendimiento y agradecerles su buena disposición.

3. Haga correcciones.

Al establecer un sistema de evaluación y al revisar las "actuaciones normales" de los trabajadores, podrá empezar a notar algunos resultados que se encuentren por debajo de lo esperado, que las mejoras no se realizan dentro del calendario o que algunas fechas establecidas en el plan no se están alcanzando como debieran. Usted sabe que de continuar estas tendencias, serían desastrosas para la realización del plan como un todo. Al hacer las evaluaciones usted también nota problemas persistentes y otras anomalías e irregularidades.

Es en este momento en el que el verdadero administrador deberá tomar la acción necesaria para hacer las correcciones que aseguren que las actividades sigan el plan original; o bien, cuando sea necesario cambiar algunos de los subobjetivos, calendarios o procedimientos del mismo.

Debemos recordar que es más bien la excepción y no la regla cuando después de planear, organizar y ejercer el control administrativo se logran alcanzar todos los objetivos sin que se necesite ningún ajuste o corrección, o sin haber tenido que sortear obstáculos ni vencer dificultades.

Recuerde que en este sentido debemos reconocer dos aspectos:

En primer lugar, después de orar y establecer el objetivo, sea tenaz, manténgase trabajando hacia el logro de las metas.

En segundo lugar, sea flexible para incluir ajustes y hacer correcciones al procedimiento y a la fase de calendario de su plan, permitiéndole al Espíritu de Dios el máximo de oportunidades para influirle y dirigirle en el curso de acción.

Cómo hacer las correcciones:

a. Identifique el problema.

Para comenzar, hay que determinar qué es lo que hay que corregir. En otras palabras hay que identificar positivamente el problema real.

Muchas veces lo que nosotros pensamos que es un problema no es otra cosa sino síntoma de algo más profundo que no podemos ver a simple vista.

El trabajo del administrador es el de saber distinguir entre un síntoma y un problema. Por ejemplo, cuando se descubre que no se están alcanzando determinadas metas, debido a la impuntualidad y desorganización de un grupo de trabajadores. La tendencia aquí es pensar que el problema es la impuntualidad y la aparente falta de responsabilidad de los trabajadores. Sin embargo, puede haber algo más en el fondo tal como: falta de motivación, falta de estímulo y reconocimiento, que hace que estos trabajadores se conduzcan de esa manera.

Para ayudarnos a determinar cual es el verdadero problema, debemos tratar todos los problemas como si fueran un síntoma. Luego al considerar los posibles factores que pueden estar originando ese síntoma, podemos empezar a ver más a fondo y se perfilará el verdadero problema.

b. Establezca un criterio básico para escoger la solución satisfactoria a los problemas que puedan aparecer.

En esta etapa el administrador se aísla momentáneamente del problema y reflexiona sobre las normas, reglamentos y estatutos de su organización que le darán la base o criterio que deberá ser utilizado para aplicar soluciones adecuadas al problema.

Estos criterios serán como las fronteras o los marcadores dentro de los cuales se deberá aplicar la solución.

Cualquier administrador puede cometer un error al tomar una decisión, pero no deberá tomar una decisión sin establecer el criterio a seguir antes de hacer una corrección.

c. Considere las alternativas.

Este aspecto se refiere a obtener información de otras personas lo cual se hace muy a menudo mediante las sesiones para producir ideas o sesiones de "lluvia de ideas".

Una regla básica en estas sesiones de "lluvia de ideas" es que a nadie deberá criticársele por alguna idea o solución propuesta, sino que todo deberá ser aceptado. Posteriormente se revisará.

Esto mantendrá la atmósfera positiva y creativa.

Después del período de producción de ideas, empiece a evaluar las alternativas sugeridas en contra del criterio básico previamente establecido. Las diferencias de opinión deberán ser discutidas en este nivel.

En el mundo de la ciencia existe una manera de tratar las opiniones discrepantes llamándoseles "hipótesis no comprobadas". Luego son comprobadas en vez de discutir sobre ellas en forma a *priori*. La aplicación de este principio en el campo de la administración suavizará el proceso de toma de decisiones.

Para cada "hipótesis administrativa" búsquese los hechos que respalden o nieguen dicha proposición. Luego analice los demás factores disponibles y determine si hay razón suficiente para aceptar aquella proposición; o bien establezca pruebas adicionales para que la idea o proposición pase la prueba.

d. Escoja una alternativa.

Estudie cada una de las alternativas propuestas y evalúe cuán eficaces son para satisfacer el problema dentro del criterio previamente establecido.

Debemos decir que es en este nivel que la mayor parte de los administradores desarrollan sus úlceras. Sin embargo, no necesariamente debe ser así. Especialmente en el caso de los administradores cristianos guiados por el Espíritu Santo, podemos reclamar la sabiduría de Dios. En Santiago 1:5 se nos dice: "Y si alguno de vosotros tiene falta de sabiduría, pídala a Dios el cual da a todos abundantemente y sin reproche, y le será dada". De manera que puede poner sus alternativas delante de Dios, permitiéndole que él ejerza dirección en sus pensamientos al buscar la solución que se necesita.

En Santiago 1:6 se nos amonesta sin embargo a tomar una decisión definitiva: "Pero pida con fe, no dudando nada; porque el que duda es semejante a la onda del mar, que es arrastrada por el viento y echada de una parte a otra". A la vez que le pide a Dios que le indique qué alternativa debe elegir, deberá estar dispuesto a moverse en una dirección en particular en la confianza de que Dios está dirigiendo su curso de acción.

Alguien ha dicho muy sabiamente que es mejor escoger una alternativa y aplicar nuestra energía y dedicación a ella para hacerla funcionar, que consumir esa misma energía y atención en la incertidumbre, que eventualmente no nos conducirá a ninguna parte.

e. Ponga en práctica su alternativa.

Es la aplicación de la alternativa la que en realidad determina el éxito de las decisiones tomadas. A menos que una decisión sea traducida en trabajo real y en aspectos prácticos no es una decisión. ¿Qué pasos va usted a tomar para llevar a la práctica las decisiones tomadas en la sesión de "lluvias de ideas"? Esto necesita planearse cuidadosamente en el momento mismo que las decisiones van siendo tomadas.

Otra pregunta importante es ¿se necesita actuar inmediatamente? Si usted se encuentra en una situación en la cual todo amenaza con desmoronarse si algo no se hace pronto, no habrá ninguna vacilación sobre qué es lo que hay que hacer o el día y la hora en que debe ser hecho. Pero si usted se encuentra ante una oportunidad única para ganar ventaja en una situación sutil, poco definida, encontrará que cuesta más moverse con rapidez. La mayoría de las decisiones se hallarán por lo general en el término medio de estos dos extremos.

Una regla práctica que le ayudará a establecer con qué rapidez debe actuar sobre las decisiones tomadas es el considerar los costos y los beneficios de la aplicación de sus decisiones. Si los beneficios sobrepasan al costo muévase rápidamente y aplique las decisiones lo antes posible.

f. Evalúe las decisiones tomadas y aplicadas.

Si se han tomado las decisiones correctas, los síntomas de los problemas que se habían percibido previamente empezarán a desaparecer, y asimismo los problemas que los originaron. Si los síntomas no desaparecen, verifique si los problemas están todavía allí. De ser así deberá buscarse una nueva oportunidad para evaluar la decisión y si es necesario reiniciar todo el proceso de correcciones una vez más.

En resumen, el control administrativo es el proceso por el cual el administrador asegura el logro del plan dentro de las metas, procedimientos y calendarios establecidos. Para ejercitar un control adecuado, un administrador se vale de herramientas tales como calendarios de actividades, calen-

119

dario general del plan, las "actuaciones normales"
de los empleados, los informes obtenidos mediante
varios métodos que se complementan entre sí y los
procedimientos para hacer correcciones.

Capítulo 9

ADMINISTRANDOSE USTED MISMO

Los cristianos estamos llamados a ser buenos administradores para poder ser buenos mayordomos de nuestro *tiempo, talento y recursos materiales.*

En esta sección estaremos considerando cada uno de estos elementos que tienen que ver con la vida del administrador, respecto de la utilización de sus oportunidades y recursos para el logro de los objetivos, no solamente propios, sino de los demás que dependen de él para el liderazgo.

En su orden de importancia, trataremos cada uno de estos aspectos para una mejor comprensión de la administración personal.

EL MANEJO DEL TIEMPO

"Mirad, pues, con diligencia cómo andéis, no como necios sino como sabios, aprovechando bien el tiempo, porque los días son malos" (Efesios 5:15, 16).

Las Escrituras nos dicen que hay un tiempo para cada cosa que Dios quiere que hagamos en esta tierra.

"Todo tiene su tiempo, y todo lo que se quiere debajo del cielo tiene su hora" (Eclesiastés 3:1).

Jesucristo mismo nos dio un ejemplo al completar la tarea que Dios le había encomendado realizar en esta tierra. En San Juan 17:4, Jesús en su oración al Padre dice: "Yo te he glorificado en la tierra; he acabado la obra que me diste que hiciese". Esta es ciertamente una declaración impresionante, especialmente al considerar la medida de tiempo que Jesucristo tuvo en la tierra y particularmente el tiempo de su ministerio público. En sólo tres años y medio logró finalizar una tarea verdaderamente fabulosa. Sin embargo, la confianza de Jesús residía en el conocimiento de que había realizado todas aquellas cosas necesarias para cumplir con el propósito de Dios dentro del tiempo que le estaba marcado.

De aquí se desprende un principio muy importante, "debemos usar nuestro tiempo sabiamente". Recordando la parábola de los talentos que se nos refiere en Mateo 25:14-30, notaremos que al siervo que enterró el dinero y que consecuentemente no logró multiplicarlo, le fue reprendida su falta de sabiduría. Su trabajo fue calificado como deficiente y no recibió ninguna recompensa, más bien fue castigado, ya que el amo de la parábola le quitó la cantidad de dinero que le había confiado originalmente.

La lección fundamental de esta parábola es que Dios espera que nosotros seamos inversionistas de lo que él nos da. El espera que multipliquemos aquello que nos ha encargado y que seamos óptimos mayordomos principalmente de nuestro tiempo .

Respecto del tiempo, debemos decir que por su naturaleza se hace necesario que seamos mucho más cuidadosos con él, que con cualquier otra cosa.

1. *El tiempo no puede ser detenido.*

Muchos de nosotros quisiéramos poder hacer lo que se hace en algunos eventos deportivos cuando se pide "tiempo" para suspender el juego y proveer descanso o algún cambio en los contendientes. Sin embargo, en la vida real no podemos darnos ese lujo, ya que el tiempo siempre está corriendo, ya sea que lo usemos *provechosamente* o no.

Realmente, no desperdiciamos el tiempo, sino nuestra vida al no hacer uso debido del mismo. La vida mal empleada en un determinado período, se desperdicia para siempre.

2. *El tiempo no puede ser acumulado*

El tiempo bien puede ser comparado con el "maná" que sirvió de alimento al pueblo judío cuando anduvo en el desierto. En el Antiguo Testamento se nos indica que cada mañana los israelitas recibían una ración de "maná" suficiente para ese día.

Algunos de ellos trataban en vano de guardarlo, para darse cuenta al día siguiente que el maná se había podrido.

Algo semejante ocurre con el tiempo; debemos consumirlo en la forma en que nos es entregado. No habrá nada que sobre para el día de mañana.

3. *Todos contamos con un mismo tiempo para hacer las cosas.*

¿Se ha puesto a pensar por qué otras personas que cuentan con las mismas 24 horas logran rendir mucho más? La diferencia está en que ellos saben administrar su tiempo y aprovechan al máximo cada uno de los minutos. Saben escoger las cosas óptimas y negarse a una serie de cosas buenas que no pueden atender.

4. *El tiempo no puede ser estirado.*

Usted no puede crear días de 25 ni de 30 horas. Esto hace mucho más importante el aprovechamiento del tiempo.

Motivación:

¿Por qué debemos administrarnos al punto de sacar máximo provecho a nuestro tiempo? Esto nos habilitará como mejores mayordomos delante de Dios y de los hombres.

En esta forma no tendrá que mirar retrospectivamente su vida sintiéndose insatisfecho con lo poco que ha logrado. Podrá librarse de la excesiva tensión de cada día; podrá ser más fructífero y eficiente. Encontrará más horas disponibles para la recreación, y para estar con su familia.

El administrarse usted mismo para aprovechar el tiempo, en ninguna manera le encierra en una norma rígida. En realidad esa administración personal le va a liberar, al punto que podrá realizar sus tareas con entera libertad, con creatividad y con una actitud de paz.

La naturaleza nos da un claro ejemplo de realizaciones dentro de un tiempo establecido. Ella nos habla de majestuosidad, de poder, de eficiencia. Esto mismo es lo que Dios quiere para cada uno de sus hijos, especialmente para aquellos que son administradores y están en puestos de dirección.

Estamos llamados a ser serenos en nuestra actuación, poderosos, tranquilos. Esto sólo puede ser logrado mediante una adecuada utilización del tiempo.

¿Cómo puede manejar su tiempo?

En esta sección aprenderemos la forma específica de manejar mejor el tiempo, cosa de vital importancia para lograr ser buenos administradores de nosotros mismos.

Hay por lo menos cuatro elementos fundamentales que son necesarios para un buen manejo del tiempo personal. Estos son los siguientes:

1. Planes y metas.

Esto es de fundamental importancia para darle sentido de dirección a su vida.

2. Un sistema o formato de control de tiempo (agenda) para ayudarse en la ejecución de sus planes dentro del tiempo que se dispone.

Le recomendamos la unidad básica de "agenda semanal" y si es posible, diaria, según la intensidad de sus responsabilidades. Estas agendas deberán reflejar los objetivos de sus planes, tanto personales como los de su organización.

3. Motivación y disciplina.

Las Escrituras nos dicen: "El fruto del Espíritu es . . . templanza [autocontrol]" (Gálatas 5:23). Usted debe entregarse completamente a la disposición de cumplir con su agenda de actividades si es que espera sacar provecho de su tiempo.

4. Aplique ideas que ahorren tiempo. "Aprovechando bien el tiempo . . ." (Efesios 5:16).

AMPLIFICACION

PLANES Y METAS

1. Los planes le ayudarán a mantenerse dentro de las actividades personales de mayor importancia.

2. Planifique por lo menos el mes próximo. Idealmente el año.

3. Planifique su trabajo en forma específica.

4. Enumere sus metas actuales y futuras tal como le vienen a la mente; o bien consulte el plan general de su trabajo u or-

ganización. Esto le hará ver la necesidad de incorporar a su agenda una serie de actividades.

5. Planifique su vida personal. (Su vida familiar, deportiva, espiritual, social, financiera.)

En esta etapa es fundamental que reflexione sobre el plan general de su organización, su llamado a la causa que sirve, sus convicciones personales.

Por ejemplo, si usted encuentra que el plan de su organización había estipulado que todos los ejecutivos de la empresa tomarían un curso de "lectura dinámica", es importante establecer esta meta en su agenda personal.

6. Proceda a elaborar la agenda que mejor se ajuste a sus necesidades personales. He aquí algunas recomendaciones generales para hacer una agenda semanal.

a. Empiece por enumerar *todas* sus actividades.
   Haga una lista de todas aquellas actividades presentes y futuras que usted sienta que se necesitan llevar a cabo en una semana dada.

b. Luego de terminar la lista de actividades generales, pregúntese si algunas de esas tareas pueden ser delegadas a otras personas. Verifique si debe asignar a otra persona alguna de esas actividades, (algunos de sus subalternos, su secretaria, su esposa). Esto debe hacerse principalmente con actividades de importancia menor y que consumen mucho tiempo.

c. Asigne al resto de las actividades que usted va a hacer un orden de importancia mediante un número o una letra.

d. Elabore un calendario semanal.
   Haga un formato sencillo que le permita imaginar los días de la semana de lunes a domingo y las horas que usted dispone. Por ejemplo de 6 A.M. a 10 P.M.
   Luego *coloque* cada una de las actividades en el calendario semanal, procurando que las de más prioridad sean asignadas a los tres primeros días de la semana, para asegurar su realización.

ADVERTENCIA:

Recuerde que antes de pasar las actividades al calendario, deberá usted marcar en dicho calendario aquellos compromisos previos que no pueden ser modificados, tal como sesiones con la Junta Directiva, citas, el horario para las comidas, transportación y otros.

Agenda semanal (veáse ilustración # 14, página 127.)

Motivación y disciplina.

Usted encontrará que no es difícil hacer la agenda semanal. El verdadero desafío será el mantenerse fiel a ella y cumplir con lo que allí se ha estipulado.

No se sienta abrumado por la disciplina y la severidad. La clave para vencer esa sensación negativa es el motivarse adecuadamente poniendo en su mente algo que le agrade, tal como ver los beneficios que se derivarán al ser cumplida su agenda de actividades.

El Señor Jesucristo "produce así el querer como el hacer" en nuestras vidas. (Filipenses 2:13). Podemos pedirle que él trabaje en nuestra voluntad, deseos, y pensamientos. Luego nuestras acciones seguirán esas actitudes constructivas. Una vez que nosotros deseamos hacer algo, se nos hará mucho más fácil su realización.

ENTUSIASMO

Algunos ejecutivos acostumbran poner cuadros en las paredes de su oficina que les ayudan a mantener el entusiasmo y a ilustrar la forma en que desean realizar su trabajo.

Piense en las cosas que usted puede hacer para recordarse de la importancia de lo que está haciendo y para ayudar a motivar a otros a tener una vida de disciplina y cumplir con lo que se han propuesto.

Conviene advertirle una vez más que toda planificación de largo alcance, así como los objetivos que se han propuesto, se convertirían en una pérdida de tiempo, *a no ser que se integren a su agenda semanal.*

He aquí algunas sugerencias que le ayudarán a seguir su agenda semanal.

1. Cada noche vea lo que tiene planificado para el día siguiente.

2. Si usted siente que se le están acumulando nuevas acti-

AGENDA SEMANAL   ILUSTRACION No. 14
Semana: CALENDARIO DEL PLAN

	DOMINGO	LUNES	MARTES	MIERCOLES	JUEVES	VIERNES	SABADO
6							
7							
8							
9							
10							
11							
12							
1							
2							
3							
4							
5							
6							
7							
8							
9							
10							
11							
12							
Otras Cosas							

vidades, emergencias e imprevistos dispóngase a realizarlas únicamente si representan una alta prioridad. De lo contrario busque delegarlas. *No sacrifique lo importante por lo urgente.*

3. Reflexione sobre el hecho de haber planificado realizar esas actividades que aparecen para el día siguiente. Cuando usted se recuerda de la enorme importancia que tienen esas actividades a la luz de las metas y objetivos, se sentirá entusiasmado y motivado a hacerlas tal como las ha planeado. Luego pregúntese qué es lo que le está evitando cumplir con sus actividades planificadas y cómo podría eliminar esas barreras.

4. Al iniciar un nuevo día, consulte y siga su agenda. No permita que le distraigan actividades imprevistas, ni se sumerja en ellas.

5. Sea sensible a la dirección de Dios sobre alguna oportunidad especial, alguna emergencia, o necesidad de otras personas.

6. Si alguna actividad previamente planificada en su agenda es cancelada por razón de fuerza mayor, siempre tenga a mano algunas otras cosas listas para aprovechar el tiempo, tal como escribir cartas, dictar, planificar para actividades futuras, poner al día sus lecturas, orar, pensar, y otros.

7. Si por alguna razón fuera de su control no pudo realizar actividades de alta prioridad en el día, considere incorporarlas inmediatamente a los días próximos.

Ideas que ahorran tiempo:

1. En cada actividad a realizar pregúntese usted mismo: ¿Para qué voy a hacer esto? ¿Me acerca esto a mis metas y objetivos? ¿Me hará esto un mejor hombre de Dios?

2. Acostúmbrese a tomar decisiones dentro de un límite de tiempo previamente establecido por usted.

NO se quede estático, no evada innecesariamente. No trate de "reestudiar" situaciones que a todas luces requieren una decisión hoy.

3. Aprenda a decir que no.

Recuerde que el enemigo principal de la excelencia, no es la mala actuación, sino las cosas buenas que nos hacen perder los objetivos.

4. Delegue todo lo que pueda. Reconozca a aquellas personas que le quieren ayudar. Asegúrese de instruirlas específicamente en lo que les pide que hagan o le harán perder más tiempo después.

5. Elimine los procedimientos imprácticos y fuera de uso.

Recuerde que la diferencia entre el éxito y el fracaso muchas veces dependerá de nuestro sistema de trabajo.

6. Tenga un buen sistema para cada cosa que necesita hacer. (calendarios, archivos, directorio telefónico, lista de correo, y otros.)

7. Tenga un buen sistema de procesamiento de información.

La revolución de la tecnología y la industria de nuestro tiempo se debe en gran parte al procesamiento electrónico de la información.

Quizás en su empresa todavía se usen archivos del modelo antiguo. (procesamiento mecánico de la información.)

Estos pueden ser todavía de gran ayuda *si están bien ordenados y clasificados*.

8. Consulte con otras personas que tengan puestos semejantes al suyo para obtener ideas de cómo ahorrar tiempo.

9. Planifique en las noches, especialmente después de la cena. Puede realizar lecturas, estudio personal, visitas estratégicas a otras personas, tiempo con su familia, y otros.

10. Use su tiempo durante los viajes. Por ejemplo, escuchar cintas grabadas, poner al día sus lecturas, prepararse para compromisos futuros, estudiar.

11. Aproveche su tiempo en las terminales aéreas, de trenes y de autobús.

Tenga siempre a la mano un portafolios como "escritorio portátil" en el cual disponga de los elementos necesarios para aprovechar el tiempo. (hacer cálculos, escribir, estudiar.)

Evite manejar durante las horas de mucho tráfico. Llegue más temprano y salga más tarde de esas horas.

12. Mantenga su automóvil en buena condición mecánica.

13. Evite estar viajando de un lado a otro de la ciudad.

14. Destine suficiente tiempo para pensar; de una a tres horas cada semana.

Asegúrese de incluir ese tiempo para pensar como un punto importante en su agenda, más bien que tratar de improvisarlo.

Eso puede lograrse mientras otras personas están durmiendo en casa, o retirándose a un lugar tranquilo.

RITMO

Aprenda a reconocer su ritmo de trabajo y su ciclo de mayor rendimiento. Hay personas que tienen ciclos matutinos, otros vespertinos y otros nocturnos para su rendimiento máximo. Aprenda a descubrir en qué parte del día su concentración es mejor.

1. Trabaje intensamente y no se sienta temeroso de descansar o comer algo conforme lo necesite.

Generalmente se pueden hacer los trabajos más difíciles por la mañana, ya que nuestro caudal de energía será mayor.

2. Planifique sus entrevistas personales.

3. Planifique sus reuniones.

4. Utilice las modernas técnicas para la comunicación.

Los dictáfonos de cinta-cassette, los sistemas de telex, el teléfono, las fotocopiadoras, los intercomunicadores de oficina, los circuitos cerrados de televisión, son grandes auxiliares para ahorrar tiempo.

5. Aprenda a ser selectivo en sus lecturas y estudio personal. Revise un libro antes de leerlo y establezca qué es lo que quiere sacar de él.

Aprenda a leer rápida y eficientemente. En algunos casos será necesario que tome un curso de lectura dinámica. Siempre asegúrese de tomar notas del libro y guardar fichas para futuras consultas.

6. Haga más de una cosa a la vez. En algunas actividades es posible hacer más de una cosa a la vez. Por ejemplo: mientras conduce su automóvil o se transporta, puede escuchar cintas grabadas.

A la vez que supervisa algún departamento, sección o actividad de su empresa, puede dictar el informe correspondiente en un pequeño dictáfono de cassette. Se ha encontrado que los informes hechos en el momento de la acción, son más precisos y objetivos que cuando son hechos días o semanas después.

Cuando revise la información de las varias fases de su trabajo, pida a su secretaria que le haga un informe ejecutivo en vez de darle detalles minuciosos. De esta manera podrá revisar en conjunto todo lo que necesita saber.

7. Agrupe sus actividades.

Seleccione aquellas actividades que pueden ser realizadas en conjunto.

Por ejemplo: agrupe sus llamadas telefónicas. De esta manera usted podrá dedicarse a hacer llamadas telefónicas que debe hacer personalmente. De esta manera su esfuerzo, concentración y atención estarán lográndole los mejores resultados.

Agrupe sus mandados, visitas, entrevistas.

8. Tenga un orden de lugar. Esto se refiere al lugar físico donde usted trabaja o donde desarrolla la mayor parte de sus actividades. El tener un orden en cuanto a sus elementos de trabajo, su papelera, su escritorio es de fundamental importancia en cuanto al buen uso del tiempo. Tenga un horario para cada día, realice sus entrevistas en las fechas previstas, no se haga esperar ni permita que las personas les lleguen tarde a las citas con usted, en tanto sea posible.

Tenga un orden jerárquico. Atienda sólo a las personas que le informan directamente a usted o a los empleados claves.

Busque asesoría en campos especializados que usted sienta que no domina. Esto se traducirá en un enorme ahorro de tiempo y en mayor eficiencia.

9. Utilice el sistema de hacer recordatorios de las entrevistas, citas y actividades especiales, un día antes de su realización.

Simplifique sus listas, sus directorios, sus programas, sus procedimientos.

En toda actividad es posible simplificar y hacer más eficiente la tarea.

10. Hable y escriba sólo lo necesario. Recuerde que en ambas cosas usted deberá ser claro, conciso, correcto y cortés.

11. No interrumpa sus sesiones para atender llamadas te-

lefónicas o visitantes imprevistos. El tiempo de sus empleados claves, sumado, representa un gran esfuerzo y un gran potencial. Interrumpir esas sesiones indudablemente traerá pérdida de tiempo.

BIBLIOGRAFIA

ESPAÑOL

1. *Un nuevo concepto del Management*. Asociación Americana de Gerentes. Lawrence Appley.
2. *La trampa del tiempo*. Asociación Internacional de Gerentes. R. Alec Mackenzie.
3. *Fijación de objetivos*. Charles L. Hughes.
4. *Cómo aprovechar el tiempo*. Ted Engstrom.
5. *La conferencia en la enseñanza*. Leroy Ford.
6. *Administración de empresas, I y II*. Agustín Reyes Ponce.
7. *El dirigente moderno*. Editorial Novaro, México.
8. *El ministerio de la administración*. B. Cook, S. Douglas.
9. *Cómo formar dirigentes*. Douglas Hyde.
10. *Sed de significado*. Calvin Miller.

BIBLIOGRAFIA
INGLES

1. "Man at the Top." Richard Wolff.
2. "Be the Leader You Were Meant to Be." Leroy Eims.
3. "Managing Your Time." Marc, a ministry of *World Vision International.*
4. "Success is a Positive Punchcard." Peter Michelmore.
5. "The Skills of Management—in Terms of Broad Categories." Lawrence Appley.
6. "The Skills of Management—in Terms of Specific Skills." Lawrence Appley.
7. "Qualifications of the Manager." Lawrence Appley.
8. Allen Louis A., *The Management Profession.* McGraw-Hill Book Company, Inc., New York, 1964.
9. Davis, Ralph C., *The Fundamentals of Top Management.* Harper & Brothers, New York, 1951.
10. Gellerman, Saul W., *Management by Motivation.* American Management Association, New York, 1968.
11. Heyel, Carl, *Organizing Your Job in Management.* American Management Association, New York, 1960.
12. Koontz, Harold, and Cyril O'Donnell, *Principles of Management.* McGraw-Hill Book Company, New York, 1968 (4th Ed.)
13. Kuriloff, Arthur H., *Reality in Management.* McGraw-Hill Book Company, Inc., New York, 1966.
14. Marting, Elizabeth, and others, (eds.) *Effective Communications on the Job.* American Management Association, New York, 1967.
15. Merrihue, Willard V., *Managing by Communication.* McGraw-Hill Book Company, Inc., New York 1960.
16. Miller, Ernes C., *Objectives and Standards: An Approach to Planning and Control,* (Research Study No. 74). American Management Association, New York, 1966.